Coleção Horror e Mistério

VERMELHO MARINHO

Sinfonia Macabra

Autor: J. F. Dell

Tradução de Steve Owen

Título Original: Macabre Symphony
Copyright da tradução © 2014 J.F. Dell

Autor
J. F. Dell

Tradução
Steve Owen

Editor-chefe
Tomaz Adour

Revisão
Equipe Vermelho Marinho

Capa
Peron

Diagramação
Marcelo Amado/Página 42

D357s

Dell, J. F.
    Sinfonia macabra / J. F. Dell ; tradução de Steve Owen. – Rio de Janeiro: Vermelho marinho, 2014.
    64 p. : 15 cm. – (Horror e Mistério)

    Tradução de: Macabre symphony
    ISBN: 978-85-8265-031-8

    1. Ficção norte-americana – Terror. I. Owen, Steve. II. Título.

CDD-813

EDITORA VERMELHO MARINHO
Rua Visconde de Silva, 60/casa 102,
Botafogo, Rio de Janeiro/RJ, 22.271-092.

O desaparecimento inesperado de Friederich Raiman, o virtuoso pianista e meu amigo, foi antes de tudo um grande choque para todos que o conheceram e uma perda ímpar para os amantes da música clássica. Mas, tenho que admitir que foi muito mais para mim, que além de amigo, era também seu agente, ainda que há muito tempo eu tivesse me afastado do seu convívio. Embora no último ano nossas relações estivessem bastante abaladas, soube da notícia dando conta de que Friederich partira com sua esposa para um cruzeiro em seu iate pelas costas do Brasil, querendo com isso reconciliar-se um pouco consigo mesmo. Mas, desde que partiram tomando a direção do sul do continente, não mais se teve informações sobre meu amigo e sua mulher. A notícia deu destaque para o fato de que inúmeras buscas haviam sido feitas, inclusive a caça de destroços do barco, pensando no pior, ou mesmo pistas dos demais tripulantes, mas nenhum vestígio do barco foi encontrado. Na mesma matéria, seguiam opiniões dos especialistas e críticos em música erudita sobre a qualidade e a habilidade artística de Friederich Raiman; todos foram unânimes quanto à perda.

Como já disse, eu e Friederich Raiman deixamos de nos falar já há algum tempo, um ano para ser exato, mas posso imaginá-lo, conhecendo-o como julgava conhecer, tentando safar-se de um possível naufrágio em alto mar, e sua mulher, uma americana loira e de seios grandes, querendo afogá-lo para, quem sabe, ficar como sua única beneficiária. Sim, isso é o que eu esperava do meu amigo, com seu temperamento explosivo e orgulhoso como um pavão. Eu conhecia bem Friederich Raiman, principalmente a sua mordacidade para com os outros pianistas da época. Chamava a todos de "aleijados" e chegava a ficar semanas em seu estúdio, totalmente isolado do mundo, saindo apenas para receber alimentos leves, e voltando ao estúdio para praticar por longos períodos que antecediam em meses as suas audiências. Seu temperamento fazia-o interromper uma apresentação no meio de uma peça de Bach, ou Mozart, caso algum incidente, por mais insignificante que fosse, como um estalido de refletor, um papel amassado, pudesse tirar-lhe a concentração. Bastava uma pequena mancha no piano de cauda, ou uma tecla fosca em relação às demais, para que ele se recusasse a iniciar o concerto; tanto pior se alguém tocasse em suas mãos antes de sua apresentação, fato de todos conhecido e razão dele usar luvas brancas nas apresentações. Tudo era atribuído a excentricidade dos gênios e perdoado quando suas dedos deslizavam nas teclas do piano.

Certa vez, enquanto examinava os próprios dedos como quem examina uma joia, disse-me chamando-me por meu nome completo:

– Victor Winsbruck! Não tenho o direito de ferir estes dedos de modo algum, eles representam a imortalidade de todos os mestres da música clássica. através deles – disse-me maravilhado -, Beethoven, Brahms, Tchaikovsky, Mozart, Haydn, Bach e tantos outros permanecem vivos! É como se eu lhes restituísse a vida tocando-os com meus movimentos. Eu sopro a música com a ponta dos meus dedos! – E a imagem que se formou em minha cabeça, tanto quanto imagino tenha ocorrido a ele, foi do toque de Deus no afresco de Michelangelo na Capela Sistina. Isso poderia dar uma ideia de como meu amigo se imaginava diante da música.

Mas, sem dúvida, Friederich Raiman era o melhor de todos, digo-o sem parcialidade, seus dedos representavam a presença cristalina da música. A melodia "limpa", os acordes puros, o respeito quase obsessivo pela obra original. E nenhum outro prazer poderia ser melhor que vê-lo tocar. Metido no fraque negro, os cabelos lisos a cair-lhe sobre os olhos, e no instante seguinte esvoaçando, flutuando em desalinho, ao compasso de cada nota, cada acorde.

E como eram ágeis e quase mágicas aquelas mãos, um balé sobre teclas, arrancando-lhes os sons com a beleza própria dos gênios. A única pessoa que podia tocá-lo era Florence Frank, a judia alemã que um dia invadiu o camarim para beijar-lhe as mãos, tomando-o de surpresa; sua reação foi de aceitação. E este foi, quem sabe, o maior erro do meu virtuoso amigo. Ao permitir que ela o tocasse e beijasse sua mão, deu a Friederich uma espécie de prazer e de poder que invadiu-o, ao vê-la ali ajoelhada diante dele, aquela criatura de olhos negros e face suave, parecendo à beira de um êxtase religioso quando ele acabara uma peça de Haydn.

Como um homem vaidoso que adora que notem seus atributos, Friederich deve ter confundido a própria vaidade com amor. Ele fez-lhe a corte, por algum tempo deixou de isolar-se ao piano, e foram vistos por Paris, por Londres, por todos os lugares onde ele viajava. Seguiam um na companhia do outro, ou então eram vistos em jantares íntimos. O casamento foi notícia de repercussão mundial, as fotos, o lugar da lua de mel, a casa onde iriam morar, etc. Porém pouco depois de conquistada, como acontecia com tudo que não girasse em torno dele, Florence tornou-se apenas mais uma dos seus inúmeros admiradores; era a companhia do pianista Friederich Raiman, e mais nada, uma sombra imperceptível diante de tanta luz que meu amigo emanava e que não estava disposto a dividir com ninguém, nem mesmo com sua esposa.

Mas Florence, que o amava, aos poucos foi ficando esquecida, afastada dos locais que Friederich frequentava; lembrada com frequência de sua inferioridade e, claro, cega às amantes que meu amigo colecionava. Isolada, ignorada, cada vez mais distante e esquecida, enquanto ele fazia suas turnês acompanhado de outras mulheres. Um dia ela entrou na sala onde ele praticava. Tudo leva a crer que ficou por algum tempo ali, quem sabe recordando-se, ou apenas silenciosamente tocando uma a uma cada tecla do piano onde ele estudava, revendo as partituras. Por fim, erguendo-se sobre aquele instrumento, enforcou-se com as cordas do piano, como denunciavam os cortes em suas mãos quando arrancou-as do seu interior, e pelo modo como tudo foi encontrado. Friederich encontrou-a como um pêndulo macabro pairando sobre o piano; sua expressão, a julgar pelos depoimentos, era somente de enfado pelo transtorno que atrasara seus estudos, e nenhuma gota de sentimento pela morte da mulher. Florence não deixou uma única frase escrita. Se Friederich não estivesse viajando e a governanta não testemunhasse o isolamento de Florence nos últimos tempos, recusando-se a sair de seu quarto e até mesmo a alimentar-se, suspeitas poderiam ter recaído sobre ele.

Os jornais noticiaram a tragédia, mas ainda que dissesse o contrário, Friederich não sofreu, antes se livrou do incômodo de uma esposa infeliz, livre para envolver-se completamente com outras mulheres e, enfim, praticar sem ser importunado quando estivesse em casa.

Friederich a cada ano tornava-se mais obcecado pela perfeição. Muitos atribuíram aquilo à perda da esposa, mas eu sabia que nada tinha a ver com a morte de Florence, era apenas uma boa desculpa para manter-se aferrado aos exercícios e poder agigantar-se diante de outros pianistas. Friederich perseguia a perfeição e para isso destruía todo e qualquer pretendente a ocupar o seu lugar, por mais remota que fosse a ameaça. Ninguém poderia igualá-lo ao piano tocando Chopin, afinal, eram todos "aleijados". Não poupava esforços para com seu prestígio destruir possíveis concorrentes, como fizera com Florence. Tanto que, aproveitando o luto, encenou a clausura de dor tão bem, que a cada apresentação era aclamado e seus concertos eram esperados por meses com lotação esgotada.

E assim Friederich pôs-se a praticar obstinadamente, particularmente quando um jovem austríaco começou a destacar-se numa apresentação no *Carnegie Hall* nos EUA, tocando peças de Mozart, e a crítica apontou-o como um possível substituto para Friederich, especialmente agora, que acreditavam-no abalado com a morte violenta da mulher. Tolos, mal sabiam que ele preparava-se para eles, para os "aleijados", em particular para aquele "fedelho austríaco", Paul Liniinsk.

Isso provocou no meu amigo uma mudança estranha, de repente passou a achar que para atingir a perfeição não bastava apenas praticar e praticar sem parar, mas dependia também do piano certo, do instrumento perfeito, que lhe desse as notas puras como imaginava em sua cabeça. Foi por essa época que nos desentendemos, pois coube a mim encontrar o piano perfeito, se é que tal era possível e se existia tal instrumento. Hoje me recordo com alguma ponta de remorso que devo ter tido uma parcela de culpa por tudo que ocorreu.

Pressionado por Friederich, sai à caça de um piano que tivesse as características que ele desejava, um piano perfeito para um pianista perfeito. Ele vociferava comigo quando tentava contradizê-lo ou convencê-lo de que apenas o seu talento bastava. Por um período que durou meses, eu percorri todos os lugares do mundo onde houvesse um mestre em fabricar pianos, onde alguém me indicasse este ou aquele instrumento que julgava com as qualidades que ele desejava; o valor não era problema para Friederich. Percorri antiquários e coleções particulares, numa exaustiva procura.

Quando já estava a ponto de desistir e ter que enfrentar a fúria de Friederich, fiz pousada num vilarejo próximo a Viena, um lugar chamado Hallstatt. Num *vilarejo* na Áustria, entre Viena e Salzburg, instalei-me num pequeno e agradável hotel que em muito lembrava uma estalagem medieval. Aconchegado ao calor de uma lareira que crepitava, a luminosidade do fogo enrubescendo meu rosto, provando um conhaque flambado, tão bem me sentia depois daquele dias de procura insana que, confesso, adormeci. Eu era um homem vitimado pelo cansaço da jornada à procura do piano perfeito; por um momento as imprecações de Friederich não puderam mais me alcançar, eu estava mergulhado num sono repousante. Devo ter adormecido por um bom tempo, pois quando dedos tocaram meus ombros para despertar-me, a tarde já estava envolta numa coloração acinzentada, fazia frio e mesmo diante do fogo, pude sentir as costas geladas.

— Senhor Victor Winsbruck? *Gute Nacht* – falou uma voz rouca e com forte sotaque germânico e me desejou boa noite em alemão. O homem ao meu lado deveria ter mais de setenta anos, era forte e alto como uma árvore.

— Sim, sou eu mesmo – respondi, constrangido por ter sido acordado naquele momento. Meu interlocutor, no entanto, não pareceu preocupado com isso. Eu completei: – Em que posso ajudá-lo?

— Talvez eu possa ajudá-lo – respondeu de modo enigmático o homem diante de mim. – Meu nome é Karl Voolker. – Ele disse e estendeu a mão dando um sorriso simpático, ainda que sua fisionomia fosse toda triste, com algo de melancólico. Retribuí o cumprimento. – O senhor procura um piano, estou certo?

— Si... Sim! – respondi ajeitando-me na poltrona, surpreso. – O senhor é um *luthier*? – perguntei, tentando apagar as marcas de sono do meu rosto.

— *Nein* – respondeu-me o homem, com seu sotaque alemão.

— Sente-se, *herr* Karl Voolker – eu lhe pedi, procurando parecer o menos desconfortável possível com aquela situação.

— *Danke*. Por favor, trate-me por Karl. Sou um *luthier, es geht*, mais ou menos. – Ele próprio cuidou de traduzir do alemão. – Não sou exatamente um construtor de pianos, um *luthier*, se preferir, acontece que tenho comigo um instrumento que julgo poderá interessar-lhe... Trata-se de um único exemplar, de um *Tierchäuser*.

— *Tierchäuser*?! – perguntei surpreso. – Um nome um tanto estranho para um piano...

– Sim, eu sei, quer dizer "Casa de cães", mas há uma explicação. Tratava-se de uma família tradicional alemã que entre outras atividades criava animais, cães pastores, um deles, Blondi, um cão pastor fêmea, que inclusive pertenceu a Adolf Hitler, e foi sacrificado durante a tomada de Berlim, porém, estes assuntos não devem interessar ao senhor. – Não respondi e fiquei atento ao meu interlocutor. – Tudo indica que este é o último piano que restou daquele período da guerra... Sem querer fazer comparações, poderia dizer que é o *Stradivarius* dos pianos, e toda especulação sobre o violino e seu criador cabe também aos pianos *Tierchäuser*.

– Pensei que a guerra tivesse destruído tudo que pudesse ter alguma ligação com aqueles tempos sombrios na Alemanha – disse com surpresa ante tão estranha descrição. – No entanto, agora que o senhor citou esse nome, creio ter lido algo sobre esses pianos, eram realmente superiores e surpreendentemente requisitados por todo mundo.

– E não há engano no seu raciocínio, senhor Victor...

– Chame-me apenas de Victor, por favor. – Eu insisti e ele prosseguiu com sua voz pesada e triste.

– Muito bem, Victor, foi a própria guerra que limitou a distribuição desses admiráveis instrumentos para outros lugares do mundo. A política nazista impediu que qualquer negócio fosse feito sem a sua permissão; isto dificultou muito a produção e exportação dos pianos. Quando Berlim foi bombardeada e os russos tomaram a cidade, a fábrica dos pianos *Tierchäuser* foi igualmente atingida e todos os pianos e pessoas que nela trabalhavam foram destruídos e mortos pelos ataques.

– Lamento – disse, tentando imaginar aquele período sombrio dos últimos dias da Segunda guerra mundial.

— O que não foi divulgado. Até mesmo porque, no meio de tantas atrocidades e sofrimentos, qual importância teria a destruição de mais um prédio, uma fábrica de pianos? Nenhuma, se avaliarmos bem o contexto.

— Sim — respondi laconicamente, considerando lógica a argumentação de Karl. — Uma pena, devo confessar, afinal, tratava-se de um instrumento quase mítico naqueles tempos, você tem razão. — Concordei com Karl, agora que minha memória havia se reavivado.

Karl, contra a luz da lareira, esboçou um leve sorriso que não disfarçava a sua tristeza, era o rosto de um homem sofrido, uma expressão endurecida pelos anos da guerra. Era quase certo que vivera aqueles tempos, pelo modo como falava e pelo jeito como se comportava, sem relaxar em nenhum momento; deveria ter tido uma alta patente. Ele prosseguiu com sua voz firme, cada vez mais parecendo um militar emitindo ordens:

— Naquele tempo, Victor, o *Führer* costumava reunir o seu estado maior para ouvir música, as melodias maravilhosas que os maestros e compositores se esmeravam em apresentar. Eram todos adeptos fervorosos do Partido Nacional Socialista: Heinrich Hoffmann, Willy Bauer, Ernst Kaltenbrunner, Joseph Paul Goebbels, Heinrich Himmler, Albert Speers, suas mulheres e namoradas entre outros... Hitler foi considerado um monstro, um louco assassino que custou ao mundo cinquenta milhões de vidas, mas tinha um gosto refinado pela arte e pela música, isso não se pode negar...

Meu inusitado acompanhante falava de uma época que estava perdida nas brumas da história do mundo, mas a vivacidade com que se lembrava dos nomes e aparentemente dos momentos, sugeriam que mais que ser um observador ou um militar à época, também estivera presente naqueles momentos que descrevia com detalhes. Sob o brilho da tarde que desaparecia, confortavelmente sentado à frente da lareira, com a sua luz amarelada a nos aquecer do frio lá de fora, eu pude imaginar, além das chamas que crepitavam, as imagens do passado, enquanto meu interlocutor descrevia as cenas. E na minha imaginação havia um grande salão com suas janelas imensas partindo do chão até quase encontrar o teto, os lambris de madeira exibindo um brilho encerado, um aroma suave de pinho, o chão igualmente lustroso, espelhando as imagens das pessoas que nele se movimentavam em direção às cadeiras de espaldar, aveludadas de um vermelho carmesim, delicadamente ajustadas em fileiras onde, por ordem de importância, estariam sentados os líderes do nacional-socialismo, Partido Nazista da Alemanha, entre eles, Hitler. Possivelmente, as bandeiras vermelhas, majestosas, retangulares, exibindo a suástica no centro, pendendo do teto alto até quase tocar o chão, colocadas nos intervalos entre as janelas, que traziam o brilho da tarde para o interior da sala. E sobre o palco um solitário piano negro de cauda inteira, esperava, guardando no silêncio de suas cordas todo o som das melodias imortais. E então, vestindo seu uniforme caqui, as botas de cavaleiro, no melhor estilo militar, o bastão de comando sob um dos braços, e com a braçadeira vermelha envergando a suástica, o *Führer*. Talvez, discretamente ao seu lado, Eva Braun; uma fileira atrás, *Hermam Goering*, Keitel, Jodl, os comandantes, os "homens de Hitler", todos com a expressão ao mesmo tempo suave, mas sem perder a postura e a arrogância dos chefes nazistas.

Alguém se sentava ao piano e o maestro, num exagero de submissão, dedicava aquela audiência ao *Führer*, sob os aplausos efusivos de todos. A um aceno do mandatário, começava o concerto, e a melodia preferida era "A cavalgada das Valquírias", em alemão – *Walkürenritt* –, sendo o termo popular para o início do ato III da ópera *Die Walküre*, de Richard Wagner, que inflava e impelia o pensamento nazista de superioridade racial e militar.   Enquanto isso, por toda a Europa e parte da África, as forças de ocupação nazista faziam suas invasões e vítimas, colocando a Europa aos pés da Alemanha. Quase era possível associarem-se os movimentos das *blitzkriegs*, os ataques relâmpagos, os ataques dos aviões *Stukas*, varrendo os céus da Inglaterra, ou os movimentos das divisões *Panzer*, à melodia de Wagner, que reinava como fundo musical em cada movimento, em cada explosão, em cada voo rasante dos aviões de ataque naquela guerra medonha.

–... Aquele piano representava muito do pensamento nazista... – falava Karl, cujas palavras por um tempo que pareceram instantes, talvez, meu pensamento se isolou e viajou no tempo. Seu tom de voz me tirou do devaneio. Ele prosseguiu e minha atenção voltou-se para o que ele dizia: –...Todo homem de Hitler tinha que ter um piano *Tierchäuser* em casa, assim como o próprio *Führer* guardava um na sua, a "Kehlsteinhaus", o "Ninho da Águia", próximo a montanha do Kehlstein, no pico dos Alpes bávaros. O ninho da Águia foi construído como presente pelos 50 anos de Adolf Hitler – explicou-me ele e continuou: – A melodia que fluía daquele piano parecia embalar as batalhas, uma trilha sonora bem ao gosto das produções cinematográficas apoteóticas de glória e luta. De certo modo, eles representavam como de resto tudo que se relacionava ao nazismo e suas simbologias, parte da força que os nazistas queriam imprimir ao seu pensamento de dominação ariana. – Curiosamente, enquanto Karl falava, olhava para o chão, talvez para os próprios pés, e de seus lábios as palavras saltavam com a vivacidade de quem acabara de viver aqueles momentos que hoje são parte da história, uma parcela triste, diga-se. Finalmente minha companhia inesperada e nem por isso menos interessante, quedou-se entristecida, suas palavras saíam com um pesar, como um lamento: – ...Mas, como todo o resto que pertenceu a esse período terrível da história humana, a punição veio, e as pessoas que estavam envolvidas nos crimes nazistas, sabendo de seus destinos, puseram-se a destruir tudo que os ligava àqueles tempos, a realidade era que a guerra estava perdida, e todos sabiam o que haveriam de encontrar quando tudo acabasse. E numa corrida alucinada, tudo que pudesse incriminar, ligar ou sugerir alguma ligação ao regime nazista, começou a ser destruído, escondido, morto. E nessa destruição alucinada, também os pianos *Tierchäuser* juntaram-se às pilhas de documentos e objetos que eram queimados pelas ruínas de Berlim bombardeada, invadida, nos seus estertores. Os pianos, assim como muitas coisas que estavam diretamente ligadas a Hitler, tiveram ordens explícitas de serem destruídas, apagados da história. E os pianos, que foram uns desses laços entrem os membros nazistas, também seguiram para as fogueiras ou simplesmente para a destruição mecânica nas mãos de soldados destinados a apagar todo vestígio. Todos... Menos um! – enfatizou Karl, e nesse momento minha atenção voltou-se ainda mais para aquele homem, meus olhos buscaram nele cada gesto ou movimento, a tensão era visível em nossas expressões. Os olhos azuis daquele homem velho ainda mantinham um brilho juvenil. Karl retrocedera no tempo durante a nossa conversa, tanto me deixei divagar com as imagens da guerra que não testemunhei a mudança em seu semblante. Seus olhos se voltaram para mim, ele sabia do meu interesse, sabia que havia criado um anticlímax, sabia que eu era refém de suas próximas palavras. E não estava errado, eu estava fascinado pela história e agora pela possibilidade da existência de um único exemplar daquele piano quase mítico.

– O senhor tem um exemplar? ...Intacto? – Não pude esconder, nem conter minha ansiedade.

– Talvez o único de toda a família de pianos *Tierchäuser* que se tem conhecimento – ele disse, mas havia mais tristeza que alegria em contar-me aquilo. Percebi que era como se ele no fundo quisesse que o seu segredo nunca viesse a ser dividido com ninguém.

Como todo bom negociador, eu conduzi a conversa de tal modo a refrear meus desejos, a demonstrar que meu interesse era legítimo, porém tinha limites. Eu tinha que convencê-lo a me vender aquele piano, mas de modo que eu pudesse pagar seu preço, se é que era possível estimar o valor nessas circunstâncias.

Coleção Horror e Mistério

A minha motivação, além do fim da procura, era poder olhar para a cara de meu amigo Friederich Raiman, quando lhe contasse ou, quem sabe, mostrasse o instrumento. Claro que não lhe contaria como, já tendo desistido dessa empreitada da procura pelo piano, este me caíra no colo por puro acaso, quando já nem pensava mais em continuar tal busca e me entregara ao repouso de uma estalagem decidido a retornar e suportar o mau humor de Friederich.

Era evidente que aquele homem diante de mim sabia do valor do que me oferecia, era óbvio que deveria imaginar que eu representava alguém ou algum grupo suficientemente poderoso para vasculhar o mundo atrás de uma raridade, e também sabia o que tinha em mãos para negociar. Seria uma batalha dura. Procurei disfarçar o meu entusiasmo de modo profissional, e mudei o tom da minha voz para uma expressão mais casual.

– É claro que eu preciso ter certeza que se trata de um piano *Tierchäuser* – disse-lhe, recobrando a minha condição de negociador frio. – E mesmo que seja, se ainda se encontra em boas condições, afinal estamos a muitos anos do fim da guerra... – O meu tom frio e a minha alegação sem dúvida eram um começo para um bom negócio, eu tinha argumentos para regatear no preço. A regra para se conseguir um bom preço num negócio sob condições que nos sejam favoráveis era começando por desvalorizar o produto.

Meu método já ia sendo preparado mentalmente, ainda que Friederich não tivesse colocado limite aos valores que eu poderia despender. Eu conhecia o meu amigo o suficiente para que ele me reprovasse e, tanto pior seria, no caso do produto não corresponder à sua absurda mania de perfeição, quando nada era adequado ao que ELE imaginava para si mesmo. Não queria correr muitos riscos, eu era um negociador e um negociador, negocia. Eu procuraria pequenos traumas na madeira, sinais de corrosão nas cordas, pontos de fraqueza na estrutura, marcas no verniz, enfim, qualquer coisa que me pudesse garantir um mínimo de barganha.

Comecei perguntando-lhe sobre a documentação e a legalidade da transação, afinal eu representava uma personalidade séria, que não poderia negociar sob condições não legais ou não formais. No fundo tudo não passava de um ensaiado jogo de cena de mercador para chegar onde eu queria e mais, impressionar Friederich com uma joia rara, que no mínimo valia como uma peça original e de valor inestimável em qualquer antiquário. Prossegui:

– Meu cliente, a pessoa que represento, é um grande artista, e como tal tem condições de avaliar com capacidade quase científica uma raridade, e se este não se encontrar suficientemente conservado...

– Pois eu posso garantir-lhe, senhor. – Ele tomou novamente a postura militarizada e formal, como se aquilo que eu tramava lhe fosse claro e ofendesse a sua dignidade. Sua fala atropelou a minha e não havia dúvidas que aquele homem fora um militar. Ele prosseguiu: –Trata-se de um exemplar legítimo! E nada nele está comprometido, isso posso lhe assegurar. Cada milímetro de sua estrutura foi mantido originalmente como estava quando foi criado.

– Se o senhor afirma... – eu disse, assumindo a mesma formalidade que meu interlocutor mantivera até instantes atrás. Nesse momento éramos negociadores, pelo que entendi. – E se o piano tem o valor que imagino, e creio que neste ponto nós dois concordamos, por que deseja vendê-lo? – Era óbvio que aquela era uma provocação, um golpe baixo, mas essas são as regras dos negócios, não há piedade quando o objetivo é obter lucro.

Karllevantou-se da cadeira onde até aquele momento se mantivera e caminhou até a lareira. Por um momento ele perdeu a postura de militar, de onde eu estava não podia adivinhar as expressões do seu rosto, uma sombra alongada de sua imagem estendeu-se pelo piso e suas palavras vieram aquecidas pela lareira.

— Por que sou o homem a quem foi confiada a guarda do piano... Quando o "Ninho da Águia" foi invadido, as tropas aliadas não destruíram o lugar, como era previsto, apenas retiraram de lá tudo que puderam, os quadros e obras de arte, e conservaram o lugar que existe até hoje, um saque revestido de salvação. E assim como Hitler delegou ao seu motorista a tarefa de queimar seu corpo e o de Eva Braun, tão logo cometessem o suicídio no *Bunker*, a mim foi atribuída a ordem de destruir tudo no "Ninho da Águia", inclusive o piano. Mas não pude fazê-lo, não tive a mesma coragem, a mesma fidelidade que teve o motorista pessoal do *Führer*. Confesso que isto me atormentou por muitos anos, pois quando estava prestes a destruir o piano, sentei-me diante de seu teclado e bastou um leve toque numa das teclas para que a magia daquele som me fizesse fraquejar, e muito antes que as forças aliadas tomassem conta daquele lugar, transportei o piano para um lugar seguro.

— Isso não responde a minha pergunta — disse friamente a Karl.

— Sim, o senhor está certo. Eu não quero livrar-me do piano, apenas quero desfazer-me dele, pois estou morrendo, tenho um câncer para o qual os médicos não me deram mais esperanças, não tenho herdeiros, nem pessoas nas quais confie para que deem ao piano o destino que ele merece. Sei que o senhor representa um pianista, senhor Victor, leio jornais, não estou alheio ao mundo e o músico que o senhor representa não se esforça muito para viver de modo discreto...

Ele tinha razão sobre isso, e confesso que senti pena por Karl. Ele continuou:

— O tempo de vida que me resta, tudo indica, é muito curto, depois disso, quem sabe o que poderá acontecer ao piano?

— O senhor precisa de dinheiro, é isso?

Minha pouca astúcia, e, por que não, absoluta falta de sensibilidade, transformava aquele drama humano de honra e amor num mero negócio.

Só muito tempo depois me dei conta, envergonhado, da minha total falta de sentimentos, creio que havia me contaminado por Friederich mais do que imaginava.

– Dinheiro? – ele me disse com um sorriso triste, talvez lamentando a minha pobreza intelectual, ou a minha total boçalidade naquele momento. Quem sabe, não fosse a sua situação de finitude, e ele tivesse ido embora e me deixado plantado ali com meus dólares e minha arrogância. – O dinheiro serve para comprar desejos e todo dinheiro do mundo não pode mais comprar a minha vergonha e a honra que deixei de ter... Não, não quero dinheiro, senhor Victor, exceto se o senhor quiser pagar as despesas para com os coveiros, mas para isso conto com a sua compaixão e isso nada tem a ver com o piano. Tampouco seria justo pedir qualquer valor pelo piano, afinal ele não me pertence, fui tão somente seu guardião...

Considerei aquilo um pouco de astúcia, ainda me prendendo ao meu espírito de mercador. Cheguei a desconfiar se não estava sendo vítima de um golpe, um piano roubado que me daria muita dor de cabeça, afinal, são milhares de obras roubadas de museus que frequentam coleções particulares, esperando que o tempo passe e um dia ressurjam, ou simplesmente obras que enfeitam coleções particulares para deleite de seus desonestos proprietários. Cheguei a imaginar que tudo aquilo era bom jogo de cena, inclusive com a história do câncer, bem ao gosto dos dramalhões e quase infalível para os menos desavisados, mas eu era um negociador experiente, ou pensava que fosse, como descobriria mais tarde. De repente tudo aquilo me pareceu um farsa grosseira e estava a ponto de desmascará-lo quando ele disse:

– A pessoa que me confiou o piano foi o próprio Hitler.

– Quem? – Ele não poderia estar falando sério, era patifaria demais, fazer-me crer que ele trabalhara no "Ninho da Águia", que fugira sabe-se lá como, carregando um piano pelos Alpes bávaros, bem no meio da invasão aliada. Aquele sujeito era uma farsa e eu não seria o otário. – Não posso acreditar nessa sua fantástica história, senhor Karl, ou seja lá qual for o seu nome, tudo isto é muito, digamos... muito "imaginativo", para poder me convencer. O senhor, francamente, me parece uma fraude.

– Eu não estou inventando nada, senhor Victor, não esperava que o senhor acreditasse em minha história, razão pela qual mantive este segredo, ninguém me levaria a sério, e nem era minha intenção, apenas queria manter o juramento que fiz, ou pelo menos parte dele, afinal, eu já havia me decidido a destruir o piano como me foi ordenado... Mas, fraquejei novamente...

– Muito bem, e qual é a sua explicação agora para essa sua mudança de atitude, já que o senhor diz não ser dinheiro? – Eu estava visivelmente desconfiado e apenas me divertindo um pouco, antes de lançá-lo porta a fora daquele lugar que, agora, me dava arrependimento de ter me hospedado buscando paz.

– Na minha juventude – ele iniciou a fala ignorando o meu estado de espírito –, fui estudante de música, de piano. Desejava tornar-me um compositor e teria seguido esse caminho se a guerra não tivesse atravessado meu caminho. Eu era muito jovem, sujeito a influências. – Era óbvio que ele falava da juventude hitlerista. Karl prosseguiu: – Mas nunca deixei de amar a música, ao mesmo tempo em que a odiava, pois não me permitia ser um soldado por completo, e continuava sendo um músico pela metade. Havia em mim uma fraqueza que eu atribuía ao meu lado de pianista frustrado. Impedindo-me de lutar por esta mesma razão, era óbvio que eu não tinha o perfil do soldado ariano, mas ao mesmo tempo, incapaz de dedicar-me ao estudo do piano.

"...Fui aceito como uma espécie de distração cultural para os que lutavam, graças a essa minha habilidade musical, assim passei de lugar em lugar distraindo com minha música os chefes nazistas e as tropas. Não era brilhante, mas estava longe de ser um músico medíocre, e na guerra não havia muita exigência. Quando a guerra se expandiu, eu fui indicado por minha habilidade a trabalhar na fábrica de pianos *Tierchäuser*; eu era incumbido de tocar e avaliar seu grau de afinação, uma espécie de controle de qualidade da produção. Assim, vi os pianos serem carregados por toda a Alemanha.

"...Por conta disto, um dia fui chamado para afinar e avaliar o piano do *Führer*; por absoluto acaso, fiquei frente a frente com ele e a minha dedicação deve ter causado algum tipo de respeito pelo meu trabalho, tanto que ele passou a confiar a mim a tarefa de cuidar do seu piano.

"...Quando a Alemanha começou a perder a guerra, certa manhã, enquanto eu cuidava do piano, Adolfo Hitler entrou no salão onde ficava a famosa lareira de mármore doada por Mussolini, acompanhado de sua noiva Eva Braun. Ele apresentou-me a ela, e quando eu já me preparava para deixá-los, ele me pediu que tocasse algo. Muito nervoso e assustado, confesso que por um instante vacilei e quase me desculpei, recusando o pedido, mas quem poderia recusar o pedido do *Führer*? Só se estivesse completamente louco ou não desse nenhum valor a própria vida, muito menos diante de sua noiva. Então toquei, ainda que com minhas limitações; ele foi gentil e agradeceu-me. Depois disso, me retirei com a saudação de praxe e fui vomitar num canto qualquer, tomado de emoção e tensão.

"...Mais tarde o *Führer* me chamou ao seu escritório; diante da mesa, em pé, ele apoiava-se nas próprias mãos sobre o tampo; permaneceu assim, enquanto me apontou uma cadeira e eu me sentei, sua figura projetando-se sobre mim enquanto falava. Então, ele me fez prometer que cuidaria e destruiria o piano caso alguma coisa desse errado. Não fiz qualquer argumentação, apenas concordei com a cabeça e a tudo respondi com: Sim, meu *Führer*! Estava assustado demais, intimidado demais pela figura poderosa daquele homem que me pedia um favor. Depois disso não mais nos falamos, mas seu olhar, quando cruzava com o meu, fazia-me ter certeza de que ele se lembrava a todo instante do que havia me pedido.

"Quando a Alemanha foi vencida, eu vi a fábrica de pianos ser bombardeada, os artesãos mortos e os pianos destroçados pelas bombas. Mais tarde os vi sendo atirados às pilhas de fogueiras, ou simplesmente feitos aos pedaços pelo povo que queria apagar as lembranças daquele tempo. Em algum momento daqueles dias, minha casa foi invadida por soldados da SS e Gestapo; eles não me dirigiram qualquer palavra, apenas me arrastaram dali aos trancos e me levaram vendado para algum lugar longe de Berlim, pois o som da artilharia se distanciava cada vez mais. Claro que tive medo de morrer, muitos eram executados naqueles últimos dias como traidores ou desertores. Os meus raptores me contaram a razão da minha retirada de Berlim, fora um pedido do próprio *Führer*, disseram-me durante o trajeto, que era sobre o piano, que Hitler considerava muito especial, pois fora um presente de Adolf Eichmann.

– O responsável pela logística de extermínio de milhões de pessoas em campos de concentração? – perguntei a Karl, novamente curioso com a narrativa daquele sujeito.

– Ele foi o executor-chefe do Terceiro Reich, o responsável pelos campos de concentração – confirmou Karl, com seriedade.

– O próprio Hitler?

Meus ouvidos não acreditavam no que ouviam, tudo parecia um bem ensaiado plano para ludibriar um comprador interessado, com uma história rica em detalhes bem ao gosto dos que adoram mistérios atrelados a peças de coleção, um sarcófago como o de Tutancâmon e suas maldições ou um Santo

Graal da música. Ele parecia querer me fazer aceitar alguma dessas lendas. Por outro lado, não deixava de ser curioso ouvir os detalhes, ainda que fosse parte de uma farsa. Resolvi me divertir um pouco e deixá-lo prosseguir. Karl, em pelo menos um detalhe deveria estar dizendo a verdade, pois de tempos em tempos respirava com dificuldade; era certo que a doença não fazia parte da encenação, se de fato era esse o propósito, ele era um homem doente, muito doente, pelo menos foi assim que eu pensei naquele momento, para me surpreender mais tarde com a verdade.

Ele continuou depois de recuperar o fôlego e arquejar um pouco:

– Esse homem, que se dizia um Oficial da SS, era o próprio Eichmann, e pediu-me que cuidasse do piano como da minha própria vida, e que em hipótese alguma deixasse que alguém se aproximasse dele... – Ele fez uma pausa para respirar. – ...E em caso de destruição da Alemanha, eu deveria destruir o piano...

– Eu só queria saber como um homem como você conseguiu escapar dos Alpes alemães carregando um piano? – perguntei aquilo que já me incomodava.

– Eles me ajudaram, quando os convenci a retirar o piano antes que o "Ninho da Águia" fosse invadido. Garanti-lhes que tinha um lugar seguro, eles confiaram em mim, um pequeno destacamento foi posto aos meus cuidados e eu o levei para um lugar seguro, onde está até hoje.

– Você quer me dizer que mesmo podendo ser caçado por não cumprir sua promessa, ainda assim, decidiu descumprir a ordem que Hitler lhe dera?

– Sim... Eu amava aquele piano mais do que a qualquer coisa, tinha passado grande parte dos anos da guerra cuidando daquilo, além do que, a guerra destruíra minha família, meus sonhos e meus planos, e agora a única coisa que me restava, que me permitia ficar longe de tudo aquilo, era aquele piano. Não, eu não pude fazê-lo, não consegui destruí-lo. Depois, não havia ninguém que pudesse vir buscá-lo, estavam preocupados demais em escapar ou sobreviver. Quanto a mim... – Ele mostrou as mãos trêmulas. – Eu estava de certo modo destruído também, e minha fraqueza levou-me para a bebida, enterrando de vez qualquer possibilidade de voltar a tocar ou mesmo trabalhar com pianos...

– Se tudo isso é verdade, então me mostre esse piano imediatamente! – Fui incisivo com Karl, precisava acabar de vez com aquela farsa ou confirmar, caso fosse verdade. Dizendo isso, me levantei da poltrona, vesti meu sobretudo – o frio lá fora aumentara muito e a neve começava a cair em flocos.
Empurrei Karl para fora do hotel, caminhando com dificuldade por entre as ruas, a neve e o vento castigando nossos corpos, mais o meu que o dele que, mesmo com a idade que aparentava, mostrava-se um homem embrutecido pelo tempo e muito resistente. Caminhamos por longo tempo em silêncio, até que Karl informou que precisaríamos de um carro para ir até o lugar. Sinalizei para um táxi, que nos tirou daquela ventania.

Algum tempo depois, estávamos diante de um barracão, parecia um lugar abandonado, apenas uma corrente e um cadeado prendiam suas portas que vibravam com o vento; mais nada além de nós parecia permanecer naquele lugar; por um instante temi por mim mesmo, mas a curiosidade era maior que os meus temores. Karl lutou contra o cadeado, até que este cedeu, a porta abriu e entramos. A sensação de alívio ao escapar do frio foi reconfortante. Ele me levou por entre milhares de peças de mobília entulhadas, carcaças de carros e outros objetos, uma confusão que lembrava um cemitério de carros ou um ferro-velho abandonado.

Paramos diante de um boxe com uma cortina puída de plástico vagabundo, fosca. Mesmo de onde estávamos e com a baixa luminosidade daquele lugar, Karl acendera poucas luzes, parecia temer que alguém desconfiasse que havia

Sinfonia Macabra

pessoas naquele lugar aquela hora, lá estava a figura indiscutível de um piano de cauda inteira. Sobre a sua superfície, colchões postos como proteção que cuidei de afastar rapidamente. Meu coração batia acelerado no peito, a respiração formava vapores diante de minha boca, eu quase não podia me conter. E então, debaixo daqueles panos, a superfície negra e ao mesmo tempo de um vermelho queimado, incomparável a qualquer coisa que eu havia visto, surgiu magnificamente brilhante. Mesmo sob aquela fraca luminosidade, meus dedos percorreram toda a sua superfície. Meus olhos brilhavam a cada detalhe, cada curva, cada entalhe na madeira, até que abri a tampa do teclado e as teclas ainda reluziam como se tivessem acabado de ser polidas, um branco luminoso, um negro de alabastro, e o nome em caracteres alemães, quase góticos: *Tierchäuser*.

Era por si só um milagre encontrar um piano que não se fabrica mais em boas condições. Aquele, no entanto, estava perfeito, como se tivesse acabado de ser produzido.

Karl apenas me observava, sem dizer uma palavra, mas eu tinha que ter certeza:

– Como posso saber que além de ser um *Tierchäuser*, ainda pertenceu a Adolf Hitler? – perguntei-lhe, sem disfarçar minha surpresa ante aquele piano verdadeiro.

– Hitler era canhoto... Há uma marca do lado esquerdo deixada pelo próprio *Führer*, qualquer um poderá identificá-la e certificar o que digo. Há documentos em arquivos por toda a Alemanha que poderão confirmá-lo.

Sim, havia uma marca quase indelével no canto esquerdo e eram as iniciais A.H.; era óbvio que fora grafada por alguém que era canhoto. Aquele piano era uma raridade, era uma peça histórica, eu estava deslumbrado e Karl sabia disso. E embora ele tenha recusado inicialmente a minha oferta, eu insisti, posso ser um negociante, mas não sou um homem desonesto, muito menos a ponto de valer-me de um moribundo para tirar proveito próprio, pelo menos foi assim que eu imaginei naquele dia. Ofereci-lhe uma quantia bastante razoável pelo piano, mesmo assim nem de perto o que valia realmente. Finalmente ele aceitou a minha oferta, no entanto impôs uma condição, fez-me prometer que entregaria pessoalmente a Friederich Raiman aquele piano e a ninguém mais e dessa vez concluiu:

— Pelo menos sei que posso cumprir algo que me prometi — disse Karl, afastando-se dali depois que eu lhe passei o cheque com o valor.

— Tenha certeza disso — eu respondi, sem olhar para seu rosto, meus olhos estavam fixados naquela peça única, naquele piano magnífico.

— Auf Wiedersehen! — despediu-se aquele homem, com a expressão alemã. Foram as últimas palavras de Karl de que me lembro.

Cuidei rapidamente do transporte, fui pessoalmente a cada lugar para me certificar que nada aconteceria ao instrumento.

A notícia da morte de Karl chegou-me por um mensageiro do hotel, era uma nota de falecimento sem detalhes, apenas o nome, a idade e local onde seria enterrado. Como parte de meu trato, depositei o dinheiro dos funerais, cheguei até mesmo a visitar o túmulo antes de partir para encontrar-me com Friederich na Inglaterra.

A minha impressão e a minha surpresa não foram diferentes da que Friederich demonstrou quando, tentando surpreendê-lo, mandei que o piano fosse colocado em seu estúdio e coberto com a proteção de seu antigo piano. Ao descerrar a capa, ele me olhou com surpresa e poucas vezes confesso que o vi sorrir daquele jeito, a não ser após uma apresentação, ou ao ver um "aleijado" acabar-se.

Friederich sentou-se ao piano e de repente não havia mais nada ou ninguém naquele lugar, eu mesmo havia desaparecido aos olhos dele, toda a

Sinfonia Macabra

sua concentração se voltou para o piano e ele abriu sua caixa como quem abre a caixa de Pandora. Ao tocar suas teclas suavemente, tive a impressão que estava prestes a delirar ou entrar em algum tipo de transe.

Tão logo ficou diante do piano, começou a fazer planos para sua próxima apresentação e por algum tempo deixou seus estudos de lado apenas para me fazer trabalhar loucamente fazendo ligações para outros agentes e lugares onde queria se apresentar. Desejava um retorno triunfal do luto que o afastara dos palcos. A ideia de esmagar o jovem austríaco de nome Paul Liniinsk. Era sua meta. Para Friederich, aquele "aleijado" estava com os dias contados. Friederich pretendia esmagá-lo, ele não admitia comparações, era o melhor ou nada. Desde que ficara diante do piano, esquecera-se de tudo, e como era seu hábito, nem se preocupou em me agradecer. Com um gesto colocou-me para fora de seu estúdio e fechou-se com seu novo e raro instrumento, a verdadeira amante que lhe trazia prazer.

Logo em seguida, lançou-se de modo obstinado, como era seu jeito, aos estudos, só que desta vez reanimado, revitalizado por aquele piano. Não demorou a esquecer-me por completo, não tinha tempo para discutir detalhes, tudo lhe era enfadonho e perda de tempo, tudo que o afastava daquele piano.

Cuidei como pude de sua agenda, de certo modo já estava acostumado às excentricidades de meu amigo e não me incomodei de todo, ganhava bem para isso, devo dizer, e minha credibilidade no meio artístico, depois da descoberta do piano, crescera muito, eu vivia cercado de autores, músicos e, claro, mulheres, muitas mulheres.

No entanto, aos poucos me dei conta que Friederich parecia se esquecer, ou antes, ignorar todo e qualquer compromisso profissional que havíamos combinado. E quando eu ligava para falar-lhe, limitava-se a atender ao telefone e dizer: "Não estou pronto!" Batia o telefone na minha cara e não adiantava mais insistir. Os dias foram se passando sem que ele se considerasse verdadeiramente pronto para sua primeira audiência com o novo piano. Continuava sem atender aos meus chamados, ignorava cartas e contratos que colocavam produtores malucos a ponto de arrancarem os cabelos e era eu quem ouvia as reclamações, sem poder realmente fazer nada e sem desculpas para inventar, já que nem mesmo eu sabia o que Friederich estava fazendo. Por diversas vezes fui procurá-lo em sua casa, mas encontrava-o sempre trancado em seu estúdio, com ordens expressas para quem ninguém, absolutamente ninguém, o incomodasse.

Acuado com os compromissos assumidos meses antes e tendo uma dúzia de diretores de teatro nos meus calcanhares, muitos cansados e ameaçando nos processar por cancelamentos seguidos, forcei a entrada na casa de Friederich, contrariando seus empregados. Não sou um homem forte, longe disso, apenas um cinquentão em forma, um pouco acima do peso, devo confessar, mas forte o suficiente para intimidar uma dúzia de empregados e um mordomo. Depois de empurrar algumas cadeiras e derrubar vasos e arranjos pela casa, fui atravessando os corredores até onde se encontrava Friederich. Parado diante do estúdio, eu bati com insistência na porta, estava a ponto de colocá-la abaixo. Claro que quando digo isto, me inspiro muito mais numa figura de ameaça retórica, mas funcionou, a porta se abriu, uma pequena fresta, mas o suficiente para que eu pudesse ver o que estava por trás dela.

A imagem de Friederich me fez retroceder e amainar meu ímpeto, não consegui disfarçar a impressão que sua figura me causou. Devo ter feito uma careta, pois os serviçais me olharam de modo até divertido. Diante de mim não estava mais aquele homem de pele fina e de um branco quase leitoso, que costumava ter os cabelos alisados e cuidados, de roupa impecável e modos aristocráticos. À minha frente o que eu via era uma figura envelhecida, de rosto magro, com a barba por fazer, metido num robe encardido que denunciava seu desleixo e até mesmo falta de asseio. Ele cheirava de modo ruim. Sua face era de uma lividez assustadora e as olheiras tão fundas que era possível imaginar que ele não sabia o que era uma noite de sono há tempos.

– Por que vem atormentar-me com sua insistência?! – Ele tentou colocar força e raiva, mas sua voz estava fraca, não era a mesma voz autoritária de Friederich, não a mesma que eu conhecia e ouvira tantas vezes, parecia um homem a beira de um colapso, lutando para manter-se em pé.

– Deixe-me entrar, Friederich, preciso falar-lhe. – Eu insisti e tentei forçar a passagem pelo vão entreaberto da porta, mas ele me deteve.

– Não deixarei que você ou qualquer pessoa entre neste lugar, quem você pensa que é para ousar invadir meus estúdios? – E dessa vez sua voz recuperou a arrogância que eu bem conhecia em Friederich. – Ninguém vai colocar os pés aqui! É minha casa. Ponha-se para fora!

– Por favor, Friederich – implorei, tentando parecer mais paternal do que antes. – Somos amigos, há meses que não conversamos, temos assuntos urgentes a tratar.

– Não desejo falar com ninguém! – gritou Friederich Raiman e começou a fechar a porta.

– Pois se é dessa forma que você quer, considero rompido nosso contrato, deste momento em diante eu não o represento mais! E este rompimento vale também para a nossa amizade, entendeu?

Ele bateu a porta na minha cara. De lá de dentro pude ouvi-lo gritar:

– Vá para o inferno!

Saí dali diante dos criados que estavam pasmos, sem saber que atitude tomar.

Como disse, a partir daí não mais tornei a falar com Friederich Raiman e não me teria recordado de todas essas coisas não fosse a notícia no jornal dando conta do seu desaparecimento. Desde então, muito tempo se passou e nenhum sinal do destino sofrido por Friederich foi descoberto.

Coleção Horror e Mistério

Abril

Ontem me deparei com uma mulher estranha, que tenho certeza abordou-me um dia desses na rua, posso jurar que ela me seguia, pois as coincidências dos encontros não eram normais. Era uma mulher maltrapilha, seu corpo cheirava mal, o cabelo desgrenhado, lembrava uma dessas ilustrações caricatas de bruxas infantis, uma desgraçada, foi como a considerei. Só uma coisa me deixou intrigado, a sua semelhança com alguém conhecido. Não sou um bom fisionomista, mas há rostos que são marcantes e julguei que aquele era um deles. Procurei não pensar mais naquilo, embora a ideia de alguém me seguindo me perturbasse bastante.

Agosto

Chegou o mês de agosto e por mais que tente não pensar nisso, continuo sendo seguido por aquela mulher, e disso não tenho mais dúvidas. Não disse nada a ninguém com receio que, dado os acontecimentos com Friederich e a minha quase "lendária" caçada ao piano *Tierchäuser*, não achei uma boa ideia que imaginassem que eu estava ficando paranoico, com mania de perseguição. À última vez em que a vi, seguiu-me por uns dois quarteirões. Embora me deixasse preocupado, não havia naquela figura nada de assustador ou de ameaçador, tenho apenas que tomar mais cuidado.

Enquanto isso leio nos jornais que Paul Liniinsk, o jovem pianista austríaco, estará se apresentando num festival de inverno na Baviera. Eu apreciaria vê-lo. No entanto, por mais que me adiantasse nos preparativos para a viagem e me concentrasse na agenda de outros músicos que eu representava, a imagem daquela mulher continuava ocupando os meus pensamentos... E cada vez mais eu achava aquele rosto familiar, mas claro, todos os rostos têm algo de familiar.

– Senhor! – Eu não me virei, mas sabia exatamente quem me chamava, tão logo desci do táxi diante do hotel. Uma chuva miúda começava a cair sobre Londres, escurecendo ainda mais a tarde. – Victor Winsbruck! – Ela chamou e eu não pude ignorá-la dessa vez, até mesmo o porteiro do hotel se deu conta que era a mim que aquela figura se dirigia.

Tentei parecer o mais normal possível, ainda que uma sensação de desconforto e receio tenha perpassado por meu semblante. A mulher de voz roufenha e odor repugnante aproximou-se de mim. Movimentei-me de modo a sair da vista do porteiro e das demais pessoas que passavam, por sorte a chuva estava sendo minha aliada nesse momento.

– O que a senhora deseja? – disse de modo ríspido, e já ia metendo a mão na carteira, quando ela me deteve.

– Não quero o seu dinheiro, Victor. Quero que fale comigo – ela disse com certa intimidade, e seus olhos eram de um azul tão vivo que destoavam da figura de um mendigo em andrajos. Parecia saída de um dos contos de Mark Twain.

– Deixe-me em paz ou serei obrigado a chamar a polícia. A senhora está me seguindo com que propósito? – esbravejei.

Aquela mulher não me dava mais medo; antes, ao olhar para seu rosto, senti que estava fraca e infeliz. Ela puxou-me para o lado com tanta força que reconsiderei minha primeira impressão sobre sua condição física.

– Não está me reconhecendo? – ela disse, me encarando, seus olhos adquirindo uma força de inquisidora. De seus lábios um sorriso mordaz escapou mostrando dentes amarelados nos lábios rachados.

Meus olhos perscrutaram aquela face e não pude deixar de me

surpreender, diante de mim estava ninguém menos que a loira americana que se casara com Friederich Raiman, e que juntamente com ele, havia sido dada como desaparecida no naufrágio.

— Sim, sou eu, Elizabeth Kinsey. Elizabeth Kinsey Raiman. — Ela pontuou a frase, saboreando a minha reação tanto quanto eu me surpreendia com aquele encontro.

— Não é possível... — disse, retrocedendo um passo como se alguém tivesse voltado da morte e estivesse diante de mim.

— Tanto é possível que estou aqui, Victor. E mais, Friederich deseja vê-lo. Imediatamente!

— Não acredito, Friederich morre... — eu ia dizendo, mas era lógico que não era verdade, Elizabeth estava ali. Atribuo tudo isso à enorme confusão que se formou em minha cabeça.

— Não temos muito tempo para conversas, e aqui as pessoas prestam muita atenção a tudo, venha comigo — ela me disse e nem mesmo me deu tempo para responder, puxou-me pelo braço, caminhamos por ruas escuras, becos imundos, que eu imaginava apenas como lendas urbanas de Londres.

Andamos por muito tempo por sob pontes e lugares cheios de gente vadia e miserável, a ponto de meus pés começarem a doer. Não tardou para que a brisa, trazendo o cheiro de água, chegasse ao meu nariz, podia sentir o vento que vinha do mar, estávamos em algum lugar próximo do cais, nas docas.

A noite estava clara, apesar da chuva. Os detalhes do cais, suas cordas, os ancoradouros, os barcos, tudo me parecia como um filme francês *noir*, uma imagem sombria de Londres, das noites imaginadas por Edgar Allan Poe.

Elizabeth guiou-me como a um cego, abaixando minha cabeça para passar sob alambrados, ou pular obstáculos, até que estávamos diante de um pequeno e aparentemente abandonado galpão.

Todo o cais estava quieto, alguns navios, outros barcos, flutuavam de modo silencioso sobre as águas escuras do ancoradouro. Nós entramos no galpão, deveria ser um antigo depósito, cheirava a peixe estragado, a escuridão em seu interior era quase pegajosa. Quando a porta fechou-se atrás de nós, Elizabeth soltou minha mão e me senti então completamente indefeso, só e completamente imerso na escuridão daquele lugar. Todos os pensamentos sombrios passaram por minha cabeça. Como e por que me deixara arrastar até ali, o quanto daquilo não era uma grande cilada, onde eu me metera de fato?

Foi quando num dos cantos daquele salão acendeu-se uma luz, um lampião desses antigos. Por trás dele, tentando esconder-se nas sombras, havia uma figura, e por trás da figura eu podia identificar partes das roupas. Nesse momento, embora não pudesse visualizar claramente, não tinha dúvidas que estava diante de Friederich.

– Por favor... Que tipo de lugar é esse? – perguntei, tentando proteger os olhos de modo a identificar quem estava por trás daquela luz. – É você, Friederich? Você está mesmo aqui? E por que todo esse mistério, por que simplesmente não nos falamos?

A resposta veio de trás da luz, protegida pelas sombras. Era a voz de Friederich, uma voz cansada e sofrida, mas ainda assim, não havia como não reconhecer a voz do meu amigo.

– Sim... Eu estou aqui, Victor... Ou o que resta de mim... E não fosse esta situação em que me encontro, diria que é muito bom poder vê-lo novamente... – Friederich falava aos solavancos, como se fosse muito difícil articular cada palavra. Quando tentei me aproximar, ele elevou o tom da voz e me deteve. – Não se aproxime, Victor! Fique onde está, creia-me, é para o seu próprio bem.

– Friederich, eu estou confuso... Toda essa estória do seu desaparecimento, o naufrágio, a sua possível morte e agora isso... Será que há alguma explicação lógica? – supliquei.

– Os jornais não mentiram, Victor – disse-me Friederich. – Houve um acidente com o barco em que nos encontrávamos, mas eu consegui salvar-me...

– Então, por que não retornou? Por que não avisou a ninguém, nem mesmo a mim? – eu interrompi, exigindo explicações, afinal nada daquilo fazia sentido.

– O piano, Victor, foi pelo piano... – Sua voz ficou mais fraca do que já estava.

Outra luz brilhou no canto oposto, era lógico que enquanto falava com Friederich, Elizabeth se movimentara por aquele lugar. Ela mordeu uma maçã podre, pelo que pude observar, se é que as sombras não nos pregam peças. Ela parecia se divertir com tudo aquilo, havia um sorriso de sarcasmo, de sadismo em seu rosto, mas havia também a escuridão para me confundir e meu medo para piorar as coisas. Os cabelos louros escorridos, sujos, ela encolheu-se de cócoras diante de nós dois e, enfiando o vestido entre as pernas, disse-me:

– Friederich descobriu muitas coisas sobre aquele piano... Coisas que você não lhe contou ou não sabia, por ser um ignorante...

Eu não esperava aquelas palavras, mas me sentindo em desvantagem, não procurei argumentar com Elizabeth. Julgava-a vulgar e a causa da desgraça de Friederich, por essa razão, voltei-me para o meu amigo.

– Do que ela está falando, Friederich? – perguntei a ele.

– Aquele piano pertenceu mesmo ao regime nazista... – completou Friederich.

– Mas eu mesmo lhe contei isso! – disse com determinação para Friederich. – Não havia nada a esconder, era um piano que sobreviveu à guerra, você sabia!

Sinfonia Macabra

– O piano não pertenceu apenas ao regime nazista e nem tampouco servia para divertir o *Führer*, Adolf Hitler, você caiu direitinho na conversa daquele sujeito que lhe vendeu o piano...

– Ele não me vendeu, ele praticamente doou a você, lembra? – eu gritei, indignado com a insinuação.

– Tanto pior... – interrompeu Elizabeth. – Aquele homem era um guardião, ele apenas transferiu a guarda daquilo que estava em suas mãos para outro tolo, que foi você!

– Vocês estão loucos! Toda essa estória não tem nenhuma lógica, aquele era apenas um piano sobrevivente em bom estado e que você, Friederich, desejava para ter mais poder do que já tinha, não se esqueça disso. Foi você quem me forçou a procurar algo assim – conclui consternado.

– O que lhe contarei agora, Victor, custou-me um preço muito mais alto do que você poderia imaginar... – Friederich estava sentado numa cadeira de rodas tão velha que parecia a ponto de desmoronar com seu peso, enquanto falava. Ele prosseguiu: – Quando você trouxe o piano, meu primeiro pensamento foi que eu estava diante de uma raridade, quando meus dedos tocaram suas teclas, tive mais certeza ainda. Mesmo para mim, que sempre fui um músico que estudou com os melhores mestres, que tocou em quase todos os lugares do mundo, jamais, em toda a minha existência, havia me deparado com sons tão cristalinos. E foi por causa disso que me tranquei com aquele piano em meu estúdio e me dediquei a descobrir de onde vinha tanta pureza. Confesso que no começo eu estava maravilhado, cego pela beleza da música que se desprendia daquele instrumento, era como se ele não precisasse de ninguém para tocá-lo, tinha vida própria. – Ele respirou com dificuldade.

"...Em pouco tempo passei da admiração para a adoração daquele piano. E teria permanecido assim por toda a vida, se pudesse. Mas, aos poucos, quanto mais me envolvia com aquele instrumento, não sentia mais o desejo de tocar outros compositores; na verdade, quando tentava fazê-lo, meus dedos se recusavam, era como se se rebelassem. A princípio ignorei e atribuí tudo a minha ansiedade em fazer a apresentação perfeita, mas quando realmente insisti, tive cãibras e dores horríveis, que só passavam quando eu tocava peças de Richard Wagner ao piano. Qualquer outra tentativa, mesmo de exercitar-me, provocava-me intenso sofrimento. Se por um lado eu sentia que a cada dia estava melhor que no dia anterior nos meus estudos, durante a noite tudo se transformava num sofrimento sem fim.

"...Meus sonhos eram invadidos pelo clamor e pelas imagens da guerra, em particular dos campos de concentração e dos guetos dos judeus. Noites seguidas eu podia vê-los, enquanto estava mergulhado nos meus sonhos; com suas roupas puídas e suas estrelas amarelas pregadas, saltando de veículos militares, sendo enfileirados e fuzilados, homens, mulheres e crianças, e podia distinguir pelos uniformes dos soldados que se tratavam de *SS-Einsatzgruppen*, as tropas de execução e eliminação dos judeus.

"...Podia vê-los em suas covas, nas valas comuns, caindo como peças de dominó, uns sobre os outros, e os disparos secos das armas, e podia ver que muitos ainda estavam vivos lá embaixo, movendo-se, agitando-se num apelo inútil à vida e à misericórdia. E depois, noutra noite, eu os via em seus catres, figuras esqueléticas, mortos vivos, olhos sem vida, expressões sem resistência, deitados, empilhados, zumbis vestidos com roupas listradas. E seus rostos eram tão reais que eu acordava banhado de suor e de tremores, para mergulhar novamente nos mesmos pesadelos, e novamente aquelas faces descarnadas, com os ossos esticando a pele, criando saliências horrendas como uma lona esticada sobre pontas de madeira, prestes a se rasgar espontaneamente, de seus corpos esqueléticos a pele pendia como dobras finas e sujas, como se estivessem escorrendo por sobre aqueles ossos, que não mais lhe suportavam o peso...

Quanta desesperança e tristeza haviam ali, eram rostos da própria morte.

"...E eram sempre estes mesmos rostos que me perseguiam noites seguidas, como se quisessem que eu os visse, como se desejassem que eu lhe conhecesse o sofrimento, logo eu que nunca me interessei pela guerra, nem por assuntos de violência, era atormentado noite após noite por uma multidão de mortos-vivos que caminhavam na minha direção. E os podia ver em todos os lugares: Dachau, Treblinka, Sobibor, Auschwitz, nos vilarejos da Polônia, nas valas e nos guetos.

"...Embora eu não pudesse compreender o que me causava tal aflição e tão inexplicáveis pesadelos, comecei a achar que algo tinha a ver com aquele piano. Ainda assim, por mais que evitasse sentar-me para praticar durante o dia, temendo as visitas da noite, não podia deixar de me sentir atraído, quase arrastado para suas teclas e então, tão logo eu tocava, tudo desaparecia. Uma sensação de poder e de energia me arrebatava, e me sentia o mais brilhante dos músicos, o mais poderoso e como a melodia me envolvia. Meu Deus! Como eu podia quase senti-la como um objeto, como uma cor, como um sabor. Por algum tempo, minha sensação era a mesma dos dependentes, dos que acham na heroína o prazer e a calma, para em seguida mergulhar no pesadelo da realidade.

"...E assim se sucediam os dias. E assim retornavam as noites, seus mortos caminhando para as câmaras de gás, seus corpos nus, mãos abraçadas a crianças, levando um sabonete e uma pequena toalha, numa zombaria macabra, sem piedade, na simulação de um banho da morte, então eles entravam para o *banho higienizador* e a porta de ferro se fechava e das torneiras brotava gás, e os gritos abafados vazavam daquele lugar e a visão dos mortos sendo retirados fazia vomitar os próprios soldados. Havia urina, fezes, sangue nas unhas, horror nos olhos esbugalhados, desespero eternizado nas mães e angústia nas faces das crianças.

"...O horror maior é que eu também era encerrado na câmara juntamente com aquelas mulheres e crianças, seguia-se uma escuridão, depois o baque surdo do metal e a sequência das travas se ajustando lá fora, trancando-os. Então a escuridão caía sobre tudo, e havia murmúrios, lamentos e choro de crianças, e os corpos se abraçavam; mesmo sem vê-los, podia se sentir o cheiro do medo na forma do odor acre de suor, e até mesmo o horror dos olhos que brilhavam no escuro era visível. Mães abraçadas aos filhos, prendendo-os juntos ao peito, escondendo suas faces junto aos seios, como se pudessem impedir que o que estava por vir os atingisse, e havia lágrimas e havia a dor da impotência, além do horror da morte inapelável. Então, aos poucos, um sopro, um silvo suave e uma bruma começavam a escapar pelos canos, sobre as cabeças, era o gás Zyklon B, e então tudo estava terrivelmente explicado, não havia mais esperanças, não havia mais para onde escapar. Um turbilhão de gritos, de corpos se espremendo, lutando, lutando contra o quê e para quê?

"...E eu os via sem que me vissem, as crianças desabando primeiro, as mães em seguida, um ou outro resistindo para sucumbir também, corpos sendo pisoteados, subindo em direção ao tento de ferro, arrancando as unhas, dilacerando as pontas dos dedos, fazendo sangrar as mãos numa escalada inútil. Uma dança macabra de corpos se batendo numa agonia desesperadora, gritos de desespero e pânico de uns, resignação e abandono de outros, aos poucos os corpos iam cedendo e amontoando-se numa pilha de cadáveres, que chegavam, em Auschwitz, a quase nove mil pessoas por dia.

"...Até que isso chegasse ao fim, eu os via gritar e debater-se, vomitar e soluçar, sufocados, e somente eu permanecia num canto, acuado, olhando tudo sem poder mover-me, sem ser ouvido; meus gritos não escapavam da garganta e por mais que eu dissesse que era um pesadelo, aquele cheiro de corpos e sujeira chegava ao meu nariz e eu acordava banhado de suor e muitas vezes tinha vomitado.

"...Experimentei por longo tempo a beleza da música durante os dias e o horror da morte durante as noites, e a cada manhã eu tinha mais certeza que tudo estava ligado ao piano. Transtornado, doente, sem poder comer ou dormir sem que aquelas figuras me aterrassem com suas faces, gritos e lágrimas, comecei a procurar um sentido para tudo aquilo. Eu olhava para o *Tierchäuser* e era apenas um piano valioso. Detive-me em cada detalhe, até mesmo nas marcas A.H., procurava algum sentido, alguma lógica. Só podia atribuir tudo a mim mesmo, a uma loucura que me tomara, ou a uma maquinação da minha mente, estava ficando louco, essa era a verdade que temia admitir.

"...Mas, mesmo assim, ainda me restava uma dúvida, mesmo que admitisse a insanidade que me acometera, por que ela se voltava sempre para os judeus? Para o Holocausto? Elaborei uma teoria que relacionava a morte de Florence Frank, afinal ela era judia, e a minha culpa por tê-la abandonado. Mas, ainda assim, eu não estava convencido, tenho que admitir que sempre fui arrogante e pouco afeito a aceitar explicações fáceis, foi talvez a única vez que isso me favoreceu nesses anos, Victor..."

Ele me disse aquilo com tristeza, por certo se dera conta dos inúmeros amigos, incluindo eu mesmo, que afastara de sua vida por ser quem imaginava ser. Eu escutava Friederich e sua fantástica explicação, e não posso esconder que, por ser um homem de negócios, não sei e nem acredito em nada que não seja concreto ou esteja devidamente explicitado num contrato. Mantinha certo ceticismo. Mas eu estava ali, tinha de certo modo aceitado aquele jogo, e depois, a curiosidade é um pecado capital que foi erroneamente omitido dos demais, em minha opinião.

Ele prosseguiu:

– Foi quando procurei Elizabeth, apenas ela acreditou em minhas estórias...

Nesse momento, Friederich fez uma pausa e olhou na direção de Elizabeth e entre eles houve um momento de carinho, ou seria apenas de gratidão? Em seguida, ele retornou a narrativa:

– Eu estava demasiado fraco, demasiado abalado por pensamentos e possíveis alucinações que passaram a ocorrer mesmo durante o dia. Depois de certo tempo, eu os via dentro dos quartos, no fundo do box do banheiro, os corpos nus, as faces arroxeadas, caídos na banheira vazia e do chuveiro não era vapor que saia, era gás. No instante seguinte não havia nada lá além da ducha quente batendo contra a louça do banheiro. Muitas noites eu os vi parados aos pés da minha cama, os judeus prisioneiros com seus pijamas listrados e suas faces descarnadas e fundas, seus olhos negros, e em toda parte havia gemidos e soluços de sofrimento, dor que ecoava à noite pelos cômodos da casa.

"...Eu não poderia ser visto daquele jeito e não suportava mais permanecer naquela casa, tinha que sair dali. Então, Elizabeth teve a ideia de encenarmos um casamento e uma viagem de barco para a lua de mel, era tudo tão excêntrico e abrupto que se ajustava perfeitamente a imagem que eu mesmo cultivara durante toda a minha vida, você sabe muito bem, Victor."

Ele disse, esperando a minha cooperação, e eu não tive como não concordar, Friederich era um excêntrico, um sujeito dado a ações que provocavam espanto e muitas vezes ira nas pessoas, que ou o amavam ou odiavam. Ele continuou:

– Eu fui à procura de Karl Voolker, o homem que vendeu-lhe o piano.

– Impossível! – protestei. – Eu mesmo paguei-lhe o seu funeral, e vi sua cova, ele morreu – eu disse, pondo-me de pé para depois sentar-me novamente quando Friederich fez um gesto com as mãos indicando que eu me acalmasse.

– Foi o que ele quis que você pensasse. Realmente alguém morreu e alguém foi enterrado, mas não foi o verdadeiro Karl Voolker, o corpo era de Franz Sarjmastein, o verdadeiro afiador do piano, o homem a quem Hitler deu a incumbência de cuidar e destruir o piano quando tudo acabasse. Karl Voolker era um oportunista que deu abrigo a Franz, que o escondeu juntamente com o piano e para quem aquele homem atormentado pela promessa entregou tudo que possuía, certo que Karl havia destruído o piano, quando ele já estava muito doente e não tinha mais forças para cumprir sua promessa. Karl valeu-se das informações de Franz, afinal ele sabia de detalhes da vida daquele homem e utilizou-se disso para convencê-lo da origem do piano. Meu caro Victor, lamento dizer que ele soube como convencê-lo. Tudo que ele lhe disse era verdade, exceto que ele não era o verdadeiro guardião do piano e com isso, conseguiu arrancar-lhe dinheiro.

– O seu dinheiro! – retruquei. Ainda me sentindo envergonhado, afinal eu desconfiara daquele sujeito desde o começo, mas tinha que admitir, ele fora bem convincente.

Friederich continuou:

– Sinto dizer-lhe, meu amigo, mas você foi vítima de um dos crimes mais antigos da humanidade, o da caridade e da comiseração. Karl livrou-se do piano que para ele nada valia, e ainda arriscava-se a ter descoberto o segredo de como aquele objeto fora retirado do "Ninho da Águia" sem autorização das forças de ocupação, além de ter mantido um criminoso de guerra nos fundos de sua casa, o que lhe causaria sérios problemas. Karl foi paciente. No entanto, ele sabia que se procurasse alguém excêntrico a ponto de cair numa boa conversa, e nesse ponto eu também me alinho a você, tornei-me a vítima perfeita para o plano dele. ...Os jornais sempre deram muito alarde às minhas excentricidades. Karl planejou com calma cada passo, esperou até que ambos estivéssemos desesperados. Se tivesse nos procurado de imediato, por certo não obteria a nossa promessa de segredo, nem o dinheiro e nem "morreria" para o mundo, uma morte com testemunha e tudo, afinal você, um empresário de credibilidade, pagou-lhe os funerais e ainda foi visitar o túmulo dele. Em pouco tempo Karl tinha dinheiro, estava livre de um piano problema e ainda ganhara uma identidade nova. Era um golpe perfeito. Mas, você deve saber, meu amigo, que os golpistas nunca estão satisfeitos. Eles sempre querem mais, vivem procurando um jeito de tirar mais dinheiro de insensatos e tolos como nós.

Eu aceitei aquela crítica com resignação, pois nada mais me passava pela cabeça além da imagem do perfeito idiota que fora passado para trás.

— Mas o que realmente traiu Karl foi sua língua — prosseguiu Friederich. — Ele era dado a beber e quando isso acontecia, vangloriava-se do golpe perfeito que aplicara num famoso músico.

— O que explica o tremor de suas mãos e sua aparência abatida... Câncer! Como pude ser tão tolo — eu disse, balançando a cabeça, quando as peças se encaixavam. Como eu fora um idiota!

Friederich pareceu perceber e sorriu com comiseração. Em seguida prosseguiu:

— Tantas vezes o fez, contando vantagens sobre o golpe que havia dado, que acabou por cair no ouvido de um velho conhecido que me procurou e contou-me sobre o sujeito falastrão num hotel em Berlim. Depois disso, meus sentidos se voltaram para aquele homem, eu precisava encontrá-lo. Até então, tudo isso que lhe contei era uma confusão em minha cabeça, eu cheguei a achar que você havia participado do golpe, até que fui atrás de Karl. Quando entrei no saguão do hotel, onde descobri que ele se hospedava, encontrei-o no bar, já um pouco "alto". Estava rindo de alguma piada. Era na verdade um tipo bastante repulsivo. Quando me sentei ao seu lado, ele virou-se e, claro, me reconheceu. Para minha surpresa, não ofereceu nenhuma resistência, apenas fez sinal para o *barman*, que lhe serviu outra bebida, e antes que eu pudesse dizer a que viera, ele me olhou com um sorriso irônico e disse:

– *Bem-vindo à Alemanha, Herr Maestro Friederich Raiman. Tem tido bons sonhos?*

– Ele riu alto a ponto de chamar a atenção das outras pessoas. Por sorte, eu estava tão abatido que não me reconheceram. Enquanto isso, Karl entornou sua bebida.

– *Você também tinha sonhos, Karl?* – devolvi a pergunta, só que eu não estava me divertindo, queria ver a expressão dele.

– Ele girou na banqueta e colocou-se diante de mim. Era realmente um homem repugnante, com uma pele avermelhada, agravada pelo álcool, os cabelos ruivos rareando e usava um terno surrado. Mas, de repente, ele cruzou os dedos das mãos diante do peito e ficou sério:

– *Aquele maldito piano é capaz de dar pesadelos até nos mortos... Fiquei muito feliz em poder fazer-lhe um "favor"* – ele disse, com uma ponta de ironia, e sorrindo satisfeito, continuou: –, *de passar-lhe um piano tão singular, o senhor não acha, Maestro?*

– *Sem dúvida, muito singular... Pelo jeito, não sou apenas eu que tenho sonhos estranhos por causa do piano... Não é mesmo, Karl?*

– *Não... Herr Maestro, não é mesmo... Pelo menos uma coisa boa ele me deu enquanto esteve sob meus cuidados...* – Ele olhou o copo de bebida como quem avalia uma joia. – *O gosto pela bebida, principalmente antes de dormir... E também a preferência por viver em hotéis baratos, aquele não é um piano para se ter na própria casa... Os hotéis têm vários quartos, pode-se mudar de um para outro e os hospedes são reais, assim como os sons que se ouve são deste mundo...*

— *Por que eu?* — perguntei. Ele sabia o que eu queria dizer.

— *Porque o senhor é um músico de talento e quase tão arrogante quanto o antigo dono daquela monstruosidade... Herr Maestro... Agora o piano lhe pertence, o senhor pagou por ele, bem pouco, devo admitir, mas pensando do que me livrei, tive um lucro tremendo... Agora é a sua vez de livrar-se dele, porque eu não aceito devoluções.* — E ele riu com vontade dessa vez, a ponto da bebida escorrer-lhe pelos cantos da boca.

— *Muito bem, Karl, você é o tipo de escória que eu não imaginava encontrar pela vida, mas mesmo alguém como você pode ser-me útil, eu preciso saber o que tem aquele piano* — disse-lhe enquanto ele se virava para pedir mais uma bebida, mas a minha fala o deteve. Virou-se novamente na minha direção:

— *Tem certeza que deseja mesmo conhecer a verdade sobre aquele piano, Herr Maestro?* — ele me perguntou com a voz já comprometida pela bebida.

— *Eu tenho direito de saber, já que como você mesmo colocou, ele agora me pertence* — insisti e não estava brincando.

— *Mesmo assim, vai lhe custar algum dinheiro e claro, como um cavalheiro, pagar a minha conta do bar e do hotel. Digamos que sou um homem de negócios também, Herr Maestro.*

— *O tipo de homem que você é e os negócios que faz não são assunto meu, para isso espero que um dia você se acerte com a justiça. Agora quero apenas saber sobre o piano, e se dessa vez for um blefe ou um golpe, garanto-lhe que usarei toda minha influência para destruí-lo, de tal modo que o senhor vai desejar ter sido aquele corpo que meu empresário pagou para enterrar.* — O sorriso de Karl desapareceu, eu falava sério e ele se sentiu ameaçado.

– *Muito bem, Herr Maestro. Se é assim, acho que temos uma visita para fazer.* – Dizendo isso, Karl recolheu suas coisas de sobre o balcão e apagou um cigarro que acabara de acender. Eu joguei umas notas sobre o balcão, o suficiente para pagar-lhe as despesas do bar e do hotel.

– *Tem coisas a retirar?* – perguntei-lhe.

– *Eu nunca carrego malas, há muitos ladrões por aí.* – Ele piscou, depois saiu na minha frente e eu o segui.

"Paramos na rua diante do hotel e logo estávamos dentro de um táxi, atravessando os subúrbios de Berlim.

"Em pouco tempo paramos num lugar agradável, parecia uma pequena propriedade rural perdida nos arredores da cidade. Um cheiro de feno e mato envolveu-nos de um modo agradável, não fosse a presença de Karl cheirando a bebida e cigarro impregnando o ar. Imaginei que fora naquele lugar que ele mantivera o verdadeiro guardião do piano.

"Ele contemplou os arredores e, sem dar muita atenção a paisagem, seguiu na direção da casa. Era claro que conhecia o lugar e se houvesse pessoas ali, também deveria conhecê-las, pelo modo como foi entrando na propriedade. Não demorou muito para que uma porta se abrisse e um sujeito gordo, envelhecido, com cabelo cortado a escovinha e metido em roupas largas, ficasse olhando nós dois nos aproximarmos. Karl fez as apresentações:

– *Jodl, este é o maestro Friederich Raiman, você já deve ter ouvido falar nele.*

– *Claro que já* – disse Jodl de modo até jovial. Fez sinal para entrarmos. Karl deveria ser bem íntimo, pois tão logo entrou na sala, foi até um canto e pegou uma garrafa de bebida e encheu o copo; sentou-se como se tudo que acontecia não tivesse nada a ver com ele.

– *Creio que o que o trouxe até aqui foi o piano, estou certo?* – perguntou-me

Jodl, com o sotaque alemão acentuado; ele falava a minha língua.

– *Pelo jeito, todo mundo aqui sabe sobre o piano* – eu disse, com desprezo por aquelas duas figuras.

– *Não nos leve a mal, Mestre Friederich, somos homens de negócios, mais Karl do que eu.* – E nesse momento, Karl fez um brinde silencioso a essa observação de Jodl. – *Sou um veterano, um homem que esteve por longo tempo do lado certo da guerra, até que perdemos. Então éramos todos os errados, os enganados, vítimas ou fanáticos. Bem, esse é o preço de se escolher um dos lados... E sempre se tem que escolher, não é mesmo, Maestro?*

"Eu concordei com a cabeça, não precisava falar, estava claro que aquele homem sabia a razão da minha presença e o quanto eu queria explicações. Ele continuou falando enquanto ajeitava-se numa cadeira de balanço e olhava para fora apreciando a calma do lugar. Também eu me sentei numa poltrona e continuei esperando que ele falasse. Jodl não tinha pressa, tudo indicava que vivia sozinho. Ainda que a casa estivesse em ordem, era o lugar típico de um homem solitário, um lugar sem a figura feminina, não havia cortinas, não havia vasos com flores ou enfeites na geladeira.

– *Aquele piano fazia parte de um grande plano, Mestre Friederich... A Alemanha pretendia invadir a Inglaterra, subjugar os ingleses, mas mesmo com todos os ataques aéreos, as tentativas de invasão, os ingleses continuavam indo aos cinemas e levando uma vida bem razoável para aqueles tempos. Isso sem dúvida era uma provocação para o Terceiro Reich. Um desafio ao poder de Hitler, que marchou através da França com as tropas alemãs, passando sob o Arco do Triunfo. Os bombardeios sobre a Inglaterra, as tentativas de isolar aquele país do resto da Europa, não surtiam o efeito que Hitler esperava, e os aliados já se preparavam para entrar na guerra. Em todo o Pacífico os japoneses já enfrentavam os americanos, até que*

Pearl Habor foi a gota d'água. Creio que o senhor está familiarizado com a história oficial. E havia, claro, a questão dos judeus, a lógica do inimigo dentro da Alemanha, configurada num povo. O ódio de Hitler era sincero em relação aos judeus, mas sem dúvida era uma causa para aglutinar a população, mais um motivo para aumentar a importância da raça ariana e descontar a humilhação sofrida na primeira guerra e a condição lamentável em que se encontrava a Alemanha naqueles tempos. Alguns fatos parecem ter a capacidade de se juntar, colocarem-se nos mesmos cenários, fatos e pessoas que em outras circunstâncias não resultariam no mesmo efeito. Parece que a Alemanha estava preparada para um Hitler, parece que o país tinha a "mão de obra" intelectual necessária, como ficou claro com os generais, militares e chefes nazistas. Inteligências brilhantes que, por algum acaso misterioso, foram reunidas no espaço e tempo adequados à eclosão daquele movimento. Os historiadores tecerão sempre milhares de explicações técnicas e perfeitamente lógicas para o que ocorreu, mas jamais poderão explicar como aqueles personagens estavam lá, com a capacidade para executar aquilo que executaram. Era como se alguma coisa tivesse coordenado para que suas vidas, nascimentos e escolhas tivessem sido pré-programados para o que viria a seguir.

– São teorias bem interessantes para explicar a violência e barbárie – eu disse ao alemão. Jodl narrava tudo aquilo e a forma como ele contava, não me deixava dúvida de que a experiência de aproximar-se de um passado tão sombrio da história humana não estava tão distante quanto imaginávamos, era como se aquilo tudo que ocorreu continuasse como um som amplificado que se estendia para além do tempo, causando as mesmas surpresas e emoções que um dia tocaram a humanidade.

Friederich também parecia em estado de transe enquanto relatava seu encontro com Karl e Jodl. Ele prosseguiu, enquanto eu permanecia atento e interessado em saber mais do que nunca o que significava aquilo tudo.

– Jodl continuou falando com seu sotaque alemão bem acentuado, às vezes enfiando uma palavra alemã no meio e desculpando-se em seguida, enquanto prosseguia na sua história. Disse-me que Hitler ficou extremamente irritado com a forma como a guerra evoluía, com as batalhas na União soviética, a resistência dos russos, antes nunca imaginada, e os avanços das tropas aliadas. Hitler, ou deixou-se influenciar por possibilidades mágicas, ou, o que é mais óbvio, já estava perturbado mentalmente, se é que algum dia esteve em pleno domínio de suas faculdades mentais. Embora todo um arsenal bélico estivesse em marcha com inovações como as poderosas V2, as bombas voadoras que segundo Hitler colocariam a Inglaterra de joelhos, os tanques cada vez mais velozes e eficientes, as armas e a extraordinária capacidade da indústria alemã em produzir para a guerra, auxiliada por trabalhadores de países anexados, como a França e a Polônia, que de um modo muito peculiar continuavam sua vidas, trabalhando para os alemães. Ainda assim, nada parecia bom demais para atingir a Inglaterra. Hitler sempre foi um homem de hábitos refinados, gostava de música e adorava os clássicos, e não é segredo para ninguém que o compositor Richard Wagner, ainda que não tenha alcançado a Alemanha nazista – tendomorrido muito antes, em 1883 -, foi associado ao pensamento do nazismo. Algumas de suas obras, como o final de *Tristão e Isolda*, lembram também o duplo suicídio de Hitler e Eva Braun no porão da chancelaria de Berlim em abril de 1945, ou Brünnhilde se jogando sobre a pira funerária de Siegfried. A ópera "Tristão e Isolda" chegou a ser classificada como antissemita e mesmo o suicídio de Hitler e Eva Braun foi por muito tempo associado ao final da mesma ópera. Por esta razão, Wagner foi identificado como uma inspiração para os nazistas. Sem dúvida, Goebbels, o chefe da propaganda hitlerista, e Albert Speers, o arquiteto pessoal de Hitler, tinham muita intimidade com a simbologia e o magnetismo das personalidades. Como eu disse, a história agrupou de modo quase premeditado as pessoas certas no tempo e lugar certos. Afinal... – ele filosofou – ...não é preciso somente estar no lugar certo na hora certa, é preciso ter a competência certa...

"Eu me mantive calado, mas sem deixar de prestar atenção a cada palavra de Jodl, enquanto Karl adormeceu, vencido pela bebida. Jodl continuou:

– *Os generais estavam pressionados, Hitler estava possesso e demonstrando cada vez mais sinais de descontrole, até numa das sessões de música na qual o terceiro Reich compareceu em peso no teatro da ópera de Berlim. A surpresa viria com o quinquagésimo aniversário do Führer, que além de ganhar de presente a Kehlsteinhaus, o Ninho da Águia, na Baviera, outra surpresa o aguardava, era o piano Tierchäuser, especialmente produzido para ele. Tratava-se de um piano que fora dado por Adolf Eichmann, o responsável pela "Solução Final", a eliminação biológica dos judeus, assassinados em massa durante os anos do nazismo, com as bênçãos de Rudolf Hess, além de Reinhard Heydrich, Ernst Kaltenbrunner, Otto Ohlendorf, este último chefe da Einsatzgruppen, especializados em eliminar judeus. Reunidos no auditório da Orquestra Filarmônica de Berlim, sob a regência de ninguém mais que Wilhelm Furtwängler, que já iniciara o ciclo do "Anel dos Nibelungos" desde 1938, a obra-prima de Richard Wagner. Infelizmeste, Furtwängler foi tão pressionado pelo partido nazista que acabou por fugir para a Suíça ao final da guerra. Mas essa é outra hitória* – disse Jodl e sua voz soou um pouco cansada, como se relembrar aquele fatos fosse de certo modo um peso a ser revivido e custava-lhe fazê-lo.

"Prosseguiu:

– *O Führer estava lá, ao seu lado Eva Braun, uma espécie de "socialite" destes tempos, uma "alpinista social"; parecia uma mulher fútil, mesmo quando as ocasiões eram formais. Mas Hitler estava impecável naquele dia, usando a sua braçadeira vermelha com a suástica negra no fundo branco, colocada no braço esquerdo, a túnica bege de seis botões, a gravata no mesmo tom e a cruz de ferro no lado esquerdo do peito. E naquele dia um jovem pianista foi anunciado e tocou Wagner, "A entrada dos deuses na Valhala", Das Rheingold,* – Jold repetiu em alemão e completou: – *"O anel dos Nibelungos".*

— *Eu a conheço, senhor Jodl* – eu disse. E pensei que nada parecia mais apropriado para aquele público, ao qual o chefe do partido nazista estava sentado na primeira fila.

— *Desculpe-me, Herr Maestro... Claro que o senhor conhece essas obras... À medida que a melodia evoluía...* – prosseguiu Jodl -, *no entanto, alguma coisa, algum tipo de mudança, uma transmutação, se posso dizer assim, se iniciou naquele ambiente, as pessoas se moviam ainda que de modo discreto em suas cadeiras, exceto Hitler, que parecia impassível, os olhos fixos no pianista e no piano. Por alguma razão, o teatro se encheu de uma energia quase palpável e a cada movimento da orquestra acompanhando o pianista, a atmosfera parecia ainda mais eletrizada. Foi depois daquele dia, daquela apresentação, quando o maestro Wilhelm Furtwängler virou-se para a plateia após agradecer os aplausos e apontou para o jovem pianista, que alguma coisa mudou na fisionomia de Hitler. Muitos atribuíram a mudança que se processara em Hitler a emoção da música e ao desempenho do maestro e seu pianista, outros ao aniversário do Führer. Mas a verdade é que havia alguma outra coisa pairando no ar, a melodia se tornara estranhamente límpida, as notas alcançaram sons inimagináveis de pureza, surpreendendo tanto o maestro quanto o pianista, que embora satisfeitos com o resultado, não deixaram de mostrar certa inquietude.*

"*Não lhes foi possível mais ter acesso ao piano. Tão logo a apresentação terminou e todos se retiraram para um salão onde eram servidos coquetéis, o piano foi levado por membros da Gestapo e da SS. Só muito tempo depois se pode entender a razão de tudo aquilo. Os músicos que lá estavam eram convidados a fazer apresentações por toda a Europa, inclusive na Inglaterra, como Wilhelm Furtwängler fizera outras vezes.*

"*A impressão deixada pelo piano não passou despercebida por aqueles músicos e o afamado piano Tierchäuser transcendeu aquele espaço. O que ninguém imaginava é que por trás daquele piano havia uma arma, uma invenção diabólica perpetrada pelos homens de confiança de Hitler, e aquele não passara de um teste que, pela comemoração e entusiasmo do Führer, dera certo.*

"A Inglaterra, ou qualquer país, pode ser impenetrável em suas barreiras físicas, mas não o é para a música. Não era possível naquele tempo imaginar que um piano e seu concertista pudessem significar algum tipo de ameaça. A música era, ao contrário, o sinônimo do equilíbrio, da cultura, da boa relação entre os povos, um momento sublime da arte. A música clássica não tem nacionalidade. Um exército inimigo ou invasor seria rechaçado se tentasse invadir a Inglaterra por qualquer meio, o ar ou o mar, mas a música não era uma ameaça e um músico alemão não seria rechaçado por fazer concertos pela Europa, ainda que sob o peso da guerra.

"A repercussão da apresentação, além de servir aos propósitos promocionais de Hitler e seu movimento de convencimento da superioridade alemã, ainda permitiu que as qualidades do maestro e do pianista escapassem para os outros países. E depois de um bem articulado plano de divulgação e aparente inocência, os pianos Tierchäuser começaram a ser cobiçados pelos melhores regentes. E nesse ponto a propaganda nazista foi eficiente, pois levou-os à França, à Áustria, aos seus protetorados na Tchecoslováquia e assim por diante. E os pianos começaram a ser enviados para o mundo, mas um em especial estava reservado à Inglaterra. Os nazistas esperaram com paciência até que a oportunidade chegou, e um piano foi requisitado por um maestro inglês através da França ocupada. O piano especial, Tierchäuser, destinado aos ingleses, foi embarcado; os cuidados que o cercaram não trouxeram suspeitas, a avaliação do instrumento não descobriu qualquer anormalidade, qualquer ameaça. Era um maravilhoso piano, que teriam sorte os que pudessem ter um, antes que toda a fábrica viesse a ser destruída, como aconteceu ao final da guerra."

– Mas como um piano comum, por mais maravilhoso que pudesse ser, ameaçaria a Inglaterra? – eu interrompi a narrativa de Friederich.

— Eu fiz a mesma pergunta — respondeu Friederich e então ele levantou-se com dificuldade e veio até onde eu estava, sua figura magra e sofrida.

— "Pela fé caíram os muros de Jericó, depois de rodeados por sete dias" — disse Friederich e eu jamais esperara encontrar alguma religiosidade em meu amigo.

— Sinto muito, Friederich, mas não estou entendendo nada — disse com sinceridade. Toda aquela história era tão surreal que eu comecei a achar que ele perdera mesmo o juízo e naquele momento estava prestes a levar o meu junto com o dele.

— Você não entende, Victor! Ao invés das trombetas que marcharam sete voltas nas muralhas de Jericó, colocando-as abaixo, agora seriam os soldados alemães que marchariam para a Inglaterra enquanto em algum lugar, num teatro de Londres, quem sabe, até mesmo diante do primeiro ministro inglês, o piano executaria os acordes que, com uma força divina, estremeceriam a Inglaterra, rompendo o centro da terra num cataclismo gigantesco, fazendo com que a Inglaterra afundasse sob o mar. O feito repetido milhares de anos depois pelo mais poderoso exército da Europa, o exército alemão.

— Isso é loucura! Isso é fantasia e você sabe muito bem, Friederich — eu disse, apelando para a lucidez dele, afinal nada daquilo havia acontecido, era tudo imaginação. Um golpe, vá lá, para tirar mais dinheiro daquele meu amigo, cuja mente estava profundamente perturbada. — Como você pode acreditar nessa relação que não passa de crendices religiosas com uma verdadeira máquina de guerra que efetivamente aconteceu e matou cinquenta milhões de pessoas?

— Porque pianos são feitos de muitos tipos de materiais... — disse Elizabeth, finalmente saindo de seu silêncio. — Madeira, metal, cordas...

— ...verniz, tinta e rodinhas, e quem sabe até cupins, se não se tiver cuidado, mas e daí? – perguntei entre perplexo e irônico diante de tanta tolice. – O que vocês querem, que eu não consegui perceber até agora?

– Todo o piano foi feito de material humano – disse-me Friederich, e sua expressão facial não indicava que estivesse brincando, não havia qualquer traço que denunciasse senão a sua surpresa com o instrumento.

– Vocês estão tentando me dizer que aquele piano que eu mesmo vi e toquei nele, era feito de material humano, que tipo de material, osso, cartilagens... – disse, ironizando tal possibilidade.

– Exatamente! – disse-me Elizabeth. – Eles usaram os corpos dos judeus mortos nos campos de concentração. Os ossos para compor as teclas... – explicou. – Até a pintura e o verniz são uma mistura de sangue humano, que produziu uma cor que impressiona a visão e perturba quem o toca ou simplesmente olha para sua superfície. Há faces, rostos, expressões sugeridas nos veios da madeira, no fundo uma massa de cinzas dos corpos calcinados nos fornos e madeira dos alojamentos... Como você pode ver, Victor, todos os detalhes dele foram pensados para aproveitar o que havia de mais humano ou mortal nos judeus mortos. Para encerrar a morte ao piano!

– A pele daquelas pessoas para tecer as cordas – completou Friederich.

– Meu Deus! – Eu não pude segurar o espanto e uma náusea percorreu meu corpo. – Vocês estão tentando me dizer que eles fizeram um piano com os cadáveres daquela gente?

– Suas peles arroxeadas eram curtidas, esticadas e afinadas! – continuou Friederich. – E surpreendemente, isto lhes dava um som cristalino, ainda mais perfeito que as cordas normalmente produzidas. Tudo indica que começou como uma brincadeira macabra entre os integrantes dos campos de extermínio, Quem sabe alguém tenha esticado um pedaço de pele e tracionado num arco de violino, ou num violão? Quem pode saber? Ou simplesmente divertiam-se

Coleção Horror e Mistério

tencionando-as e ouvindo seus sons.

— Mas o que isso tem a ver com produzir um piano com partes humanas e o ataque à Inglaterra e essa história toda de Hitler e seu concerto.

— Aquele momento foi um teste, no fundo, Hitler e seus homens sempre foram motivados por teorias fantásticas, sabiam do que era feito o material daquele instrumento, tinha sido presente de seus carrascos nazistas, eram eles que coletavam o material, se pode dizer assim. Mas o mais incrível é que descobriram que aquele material humano carregava algum tipo de força vital, que persistia mesmo depois da morte. O medo persegue os mortos e atormenta as almas. Por muito tempo isto deve tê-los intrigado, mas a explicação era óbvia demais, clara demais, talvez por isso tenham levado tanto tempo para se dar conta de que estavam tratando com um povo que tinha fé. Os judeus eram crentes. Eram os povos criadores do Deus único, da propagação da religião Cristã como uma subdivisão e assim para as demais crenças. Eles trabalhavam com um elemento novo, acreditavam no poder do convencimento, na propaganda da superioridade e na força da política e das armas, mas desconheciam a força da crença, da fé. Ainda que destruídos, o que quer que restasse, ainda continha uma força vital milhares de vezes superior a qualquer arma jamais imaginada. A grande descoberta veio quando alguém tencionou aquelas fibras de tal modo que produziu algum tipo de destruição num dos campos, ou quem sabe mesmo a morte de alguém. O certo é que a coisa toda foi amplificada e a cada teste, o dano era maior; mas era preciso acreditar, do contrário, nada ocorria. Por essa razão, todos ficaram imunes naquela apresentação, todos, menos os músicos que se sentiram profundamente aturdidos e confusos, atribuindo tudo à qualidade musical do piano, exatamente como os nazistas desejavam que acontecesse. A inocência da música com a força ilimitada da fé. Uma melodia mortal. E Friederich retomou sua narrativa.

Sinfonia Macabra

— *E o que devo fazer com aquele piano?* – perguntei a Jodl.

"Ele olhou-me diretamente nos olhos e disse:

— *Destruí-lo! Essa seria a melhor coisa a fazer, senhor Maestro.*

— *Toda essa história é terrível demais, fantástica demais para ser verdade. Inacreditável* – insisti com aquele homem.

— *E tudo que aconteceu não foi inacreditável? Por muito tempo as pessoas se recusavam a acreditar que seres humanos pudessem industrializar a morte, que se pudesse, nestes tempos contemporâneos, fazer renascer o ódio racial e o genocídio. No entanto, quanto mais nos aprofundamos no conflito, nos meandros do que aconteceu, maiores são os horrores que descobrimos, das mortes sumárias aos experimentos, à escravização, enfim, a surpresa pelo que não deveria acontecer, o quanto pode a maldade e crueldade humanas.*

Friederich havia concluído sua história com Jodl.

— Depois disso, Victor – disse-me Friederich –, eu saí daquele lugar e rumei direto para minha casa em Londres, estava decidido a destruir aquele piano. Acreditava em cada palavra do que Jodl me dissera, não lhe contara sobre minhas experiências, mas tudo aquilo que ele relatara, eu mesmo testemunhava a cada noite e depois, pela casa. O piano era uma coisa viva, maldita.

— E o piano, onde está? – perguntei a Friederich.

— Está aqui! – Ele apontou-me um canto daquele lugar, a luz do lampião acima de sua cabeça iluminando o suficiente para espalhar a luminosidade até a superfície brilhante do piano. E lá estava ele, exatamente como o tinha visto pela última vez, tão majestoso quanto terrível.

— Você não o destruiu? – perguntei.

— Não é possível destruí-lo. Não lhe parece estranho que tenha resistido a toda a destruição da guerra, há anos enterrado em algum sótão ou porão, e não haja um só risco, uma pequena lasca, deformidade? Até mesmo suas teclas ainda brilham como se acabassem de ser polidas.

Eu tinha que admitir que isso não me passara pela cabeça, eu era antes um homem interessado em um produto, e tanto mais quanto melhor o seu estado. Não perdi meu tempo imaginando o que poderia ter poupado aquele instrumento, mas estava claro agora que não era natural, por mais que houvesse cuidado, o que não se poderia esperar de Karl, o falsário que me enganara.

– Assim mesmo temos que tentar destruí-lo. Se tudo que você me disse é verdade, esse piano carrega uma maldição.

– Não o faremos! – disse Elizabeth com determinação, e da forma como o fez, estava claro que dominava Friederich há muito tempo, pois suas palavras fizeram-no retroceder. – Você não percebe, Victor, que este piano pode ser a volta triunfal de Friederich, pode ser o seu renascimento, porque a mesma força vital pode dar a ele poderes de tornar a música superior.

– Não dê ouvidos a ela, Victor, ajude-me a destruí-lo, esse piano me consumiu, arrebatou minhas forças. Quando toco nele, meus desejos são de poder e destruição, e além das notas, há um sofrimento, uma dor que me angustia e deprime.

– Ele não sabe o que está dizendo, Victor, está doente e perturbado, culpa-se pela morte da mulherzinha, acredita que isto é parte de uma vingança tardia, um remorso arquitetado por sua mulher suicida... Por isso, eu o chamei para convencê-lo! Nós seremos poderosos, muito poderosos, quase como...

– Foram os nazistas? Hitller? – eu disse com ironia. – Você está mais doente que Friederich.

– Eu nãos os deixarei tocar no piano! – gritou Elizabeth e, para minha surpresa, ela carregava uma arma. Oculta na escuridão, deveria estar o tempo todo apontada na minha direção, eu apenas não podia ver.

Nesse momento, Friederich caminhou cambaleante na direção do piano, levava o lampião com a clara intenção de atear fogo ao instrumento.

– O fogo pode destruí-lo! Foi o que Jodl me disse.

Friederich correu para o piano como pôde e então, mesmo sob aquela pouca luz, eu pude ver suas mãos deformadas, seus dedos tendo se tornado galhos secos e cheios de nós, como se a pele tivesse sido secada ao sol e a carne fugido dos ossos. Era a mão de um esqueleto. Mas, tão logo ele se colocou diante do piano, um grito rouco e profundo brotou de dentro dele. Parou, com o corpo tremendo e oscilando sobre o piano.

– Você não pode fazê-lo, não é mesmo, Friederich? – provocou Elizabeth, e quando eu fiz um movimento na direção do meu amigo para ajudá-lo, ela apontou a arma ameaçadoramente para mim, detendo-me instantaneamente ante a ameaça de um disparo. Eu assistia a tudo aquilo com pavor e incredulidade.

– Veja como ficaram suas mãos desde a última vez em que tentou destruí-lo – lembrou-o Elizabeth, enquanto mantinha a arma firmemente apontada na minha direção. – Veja como estão seus dedos, Friederich! – ela gritou e ele mecanicamente ergueu as próprias mãos diante dos olhos e houve um momento de horror em seu olhar por constatar o estado em que se encontravam. – E agora me diga? Quem é o "aleijado"? – gritou Elizabeth com fúria.

Naquele momento entendi que, mesmo que quisesse, Friederich não poderia destruir aquele piano, ele era o seu novo guardião, como uma relíquia macabra, sendo passada de tempos em tempos de um para outro, até, quem sabe, a volta de um IV Reich? Então entendi porque Friederich tinha mandado me buscar, ele precisava de mim para destruir aquilo, e porque eu era judeu e só meu amigo sabia. Arremessei-me contra o piano, levando, com o movimento do meu corpo, Friederich e Elizabeth para o chão. A arma caiu em algum lugar e percebi que ela procurava, tateando, enquanto eu cuidava de pegar o lampião que rolara pelo assoalho até um canto. Cheguei a tempo de pegá-lo antes que se apagasse, mas, ao mesmo tempo, Elizabeth encontrou sua arma e disparou. Para minha surpresa, Friederich atirou-se na minha frente a tempo de impedir que eu fosse atingido. A bala penetrou em seu corpo. Meu amigo se sacrificara por mim. Ele caiu ensanguentado no chão e embora não pudesse dizer nada, sua expressão era de súplica. Menos por sua vida e mais pelo piano, que era a causa de sua desgraça.

Eu sabia exatamente o que tinha a fazer. Corri para o piano, enquanto Elizabeth apontava a arma para mim e atirava. Rolando pelo chão entre as sombras e desviando como podia dos disparos, cheguei ao piano quase no mesmo momento em que fui atingido. A dor foi aguda e senti que meus ossos haviam se partido em algum ponto do ombro. O lampião caiu sobre o piano, as chamas se espalharam.

Elizabeth largou a arma, certa de que eu estava morto, e tentou apagar as chamas desesperadamente, mas Friederich estava consciente o suficiente para agarrar-lhe o tornozelo, fazendo-a cair sobre as chamas. Em poucos minutos suas roupas estavam envolvidas pelo fogo. Em instantes Elizabeth se transformara numa bizarra figura humana incandescente, debatendo-se em gritos e desespero, que eu nada podia fazer para deter, ferido como estava, e Friederich já não dava sinais de vida ali no chão, perigosamente próximo das chamas.

O piano ardia, e de seu interior sons e vozes se confundiam com as labaredas que subiam até o teto. Ainda que eu não aceitasse, eram gritos que eu ouvia, era música e vozes militares de comando, uma mistura de horror e fogo, se alastrando pelo *Tierchäuser*, que por alguma razão adquirira a forma de uma estranha aranha negra, debatendo-se, rugindo entre as chamas. Gritos pareciam querer se libertar de suas entranhas e o fogo era desproporcional à violência do que acontecia no interior daquele piano. Era como se milhares de almas começassem a escapar de suas entranhas, enquanto outras eram consumidas pelas chamas que se alternavam entre um laranja avermelhado, quase rubro, como o sangue vivo, mas poderia ser só a minha imaginação, tudo era confuso. Aos poucos o fogo foi tomando aquele lugar, espalhando-se rapidamente pela madeira envelhecida e pelos restos de caixotes e redes de pesca que a escuridão me impediu de testemunhar quando eu cheguei ao lugar naquela noite, mas que agora estava claro e vi que havia entulhos em toda parte. Levantei-me como pude e fui até Friederich, protegendo-me das chamas que nos envolviam. Ele estava mortalmente ferido, mas ao levantar sua cabeça em meus braços, pude ver novamente a mesma serenidade que outrora nos unia como amigos:

– O... Obrigado... amigo – foram suas últimas palavras, enquanto seus dedos se fecharam sobre o meu braço numa espécie de despedida de adeus.

Ainda assim, procurei por algum sinal de vida em meu amigo, movimentando-o, chamando-o, até abraçar sua cabeça contra o meu peito... em vão. Soltei seu corpo naquele assoalho, meus olhos marejados pela perda, enquanto os olhos dele permaneciam abertos e perdidos, denunciando sua morte; apenas o brilho das chamas ainda se refletia e, no entanto, havia paz neles.

Elizabeth desaparecera nas labaredas que agora ameaçavam tudo. Em pouco tempo pedaços de madeira em chamas começaram a se desprender do teto, tudo estava ruindo com a força da destruição, e ainda assim, eu podia distinguir claramente o piano como uma silhueta, uma estranha pira ardendo no meio de tudo com uma luminosidade diferente, com um fogo estranho.

Não havia mais tempo para nada, corri dali como pude, lutando contra a dor em meu ombro, esquivando-me das paredes e lascas que estouravam com o calor sobre a minha cabeça e à minha volta. Momentos depois, parado nos cais, olhando aquele lugar envolto pelo fogo, afastei-me com esforço, meu braço ainda doía, mas felizmente não estava sangrando. Enquanto eu me distanciava, ao longe podia ouvir as sirenes que vinham na direção do cais.

Os jornais dos dias seguintes noticiaram o incêndio nas docas e o encontro de dois corpos carbonizados, possivelmente de um casal. Mais tarde as investigações concluiriam que se tratava do meu bom amigo Friederich e sua mulher Elizabeth. As causas de sua presença naquele local, bem como do incêndio, foram atribuídas a algum tipo de discussão, pois uma arma fora encontrada nos escombros com sinais de que haviam sido deflagrado os cartuchos.

Eu tive sorte, a bala transfixou meu ombro, não o suficiente para torná-lo incapaz, mas o suficiente para causar-me dor e trazer-me lembranças daquele dia. Com dinheiro e amigos mantive tudo em sigilo e o tempo cuidou de colocar-nos todos no esquecimento.

Mas ainda hoje uma dúvida me intriga. Por mais que eu procurasse no noticiário e indagasse, ainda que discretamente, sobre o que possivelmente ocorrera naquele lugar – afinal, eu tinha sido o amigo e empresário do maestro Friederich Raiman-, ninguém fez qualquer referência à existência de um piano entre os escombros. Claro que o fogo poderia ter consumido tudo, mas nenhuma peça que lembrasse ou sugerisse o instrumento foi encontrada, o que me fez temer que o *Tierchäuser* tivesse de algum modo sobrevivido, pois não era um piano comum.

De qualquer modo, há um jovem pianista que irá se apresentar hoje à noite e dizem que é um *virtuose*, mas o que mais chamou a atenção dos críticos foi que, além do talento, o jovem é dono de um piano raro e magistral, e a peça que ele escolheu é *Parsifal*, um prelúdio do primeiro ato de Richard Wagner,

Sinfonia Macabra

Este livro foi impresso em papel offset 75g em tipologia Adobe Caslon Pro, corpo 11.
Tiragem de 1000 exemplares.

VERMELHO MARINHO